# Der Sohn Gottes

Die Entstehung der Christologie und
die jüdisch-hellenistische Religionsgeschichte

von

MARTIN HENGEL

2., durchgesehene und ergänzte Auflage

1 9 7 7

J. C. B. MOHR (PAUL SIEBECK) TÜBINGEN

CIP-Kurztitelaufnahme der Deutschen Bibliothek

**Hengel, Martin**
Der Sohn Gottes: d. Entstehung d. Christologie
u. d. jüd.-hellenist. Religionsgeschichte. –
2., durchges. u. erg. Aufl. – Tübingen: Mohr 1977.
   ISBN 3-16-139451-8

©
Martin Hengel
J. C. B. Mohr (Paul Siebeck) Tübingen 1975
Alle Rechte vorbehalten
Ohne ausdrückliche Genehmigung des Verlags ist es auch nicht gestattet,
das Buch oder Teile daraus
auf photomechanischem Wege (Photokopie, Mikrokopie) zu vervielfältigen
Printed in Germany
Offsetdruck: Gulde-Druck, Tübingen
Einband: Großbuchbinderei Heinr. Koch, Tübingen

EBERHARD JÜNGEL

zur Erreichung des Schwabenalters gewidmet

# VORWORT

Die Grundlage der vorliegenden Studie bildete meine Tübinger Antrittsvorlesung vom 16. 5. 1973. Trotz wesentlicher Erweiterungen wurden der Aufbau und der Gedankengang der Vorlesung bewußt beibehalten.

Das Ganze möchte ein kritischer Diskussionsbeitrag zur neutestamentlichen Christologie sein, die sich heute in besonderer Weise als umstrittenes Kampffeld darstellt. Es geht mir darin um den Nachweis, daß historische, religionsgeschichtliche Forschung und theologische — man könnte auch sagen dogmatische — Fragestellung nicht in unversöhnlichem Gegensatz zueinander stehen müssen, sondern daß vielmehr der Historiker das Wesen der neutestamentlichen Christologie verfehlt, wenn er ihre theologische Intention und innere Konsequenz nicht begreift, und daß umgekehrt eine dogmatische Betrachtungsweise, die den geschichtlichen Weg der Christologie während der ersten Jahrzehnte des Urchristentums nicht ernst nimmt, in der Gefahr ist, der abstrakten Spekulation zu verfallen. In einer Zeit, da historischer Positivismus und hermeneutisches Interesse in der neutestamentlichen Forschung weithin völlig getrennte Wege gehen, käme alles darauf an, religionsgeschichtliche Forschung und theologisches Fragen nach der Wahrheit wieder miteinander zu verbinden.

Für das Schreiben des Manuskripts danke ich Fräulein Cordelia Kopsch, für dessen Durchsicht Herrn Dr. Andreas Nissen und für das sorgfältige Lesen der Korrekturen Herrn Helmut Kienle.

Tübingen, Neujahr 1975                    Martin Hengel

## VORWORT ZUR 2. AUFLAGE

Schneller als erwartet wurde eine 2. Auflage notwendig. In ihr habe ich Druckfehler und Versehen beseitigt und eine Reihe von Ergänzungen vorgenommen. Wieder gilt mein Dank für die Durchsicht meinem Assistenten Helmut Kienle.

Tübingen, November 1976                    Martin Hengel

# INHALT

# 1. DAS PROBLEM

Am Passafest des Jahres 30 wird in Jerusalem ein gali-
läischer Jude wegen messianischer Umtriebe ans Kreuz
genagelt. Etwa 25 Jahre später zitiert der ehemalige Pharisäer Paulus in einem Brief an die von ihm gegründete
messianische Sektengemeinde in der römischen Kolonie
Philippi einen Hymnus über eben diesen Gekreuzigten:

> „Der göttlichen Wesens war,
> hielt nicht gierig daran fest, Gott gleich zu sein,
> sondern entäußerte sich selbst,
> nahm Sklavengestalt an,
> wurde Menschen gleich und wie ein Mensch gestaltet,
> er erniedrigte sich selbst,
> wurde gehorsam bis zum Tode,
> ja zum Tode am Kreuz." (Phil 2,6—8)

Die Diskrepanz zwischen dem schändlichen Tod eines
jüdischen Staatsverbrechers und jenem Bekenntnis, das
diesen Exekutierten als präexistente göttliche Gestalt
schildert, die Mensch wird und sich bis zum Sklaventod
erniedrigt, diese — soweit ich sehe, auch für die antike
Welt analogielose — Diskrepanz beleuchtet das Rätsel
der Entstehung der urkirchlichen Christologie[1]. Paulus

---

[1] Vgl. *M. Dibelius*, RGG² 1, 1593 über das „Hauptproblem
der Christologie": Es ist die Frage, „wie sich das Wissen von
der geschichtlichen Gestalt Jesu so schnell in den Glauben an den

hatte die Gemeinde in Philippi etwa im Jahr 49 n. Chr. gegründet, und er wird in dem ca 6/7 Jahre später geschriebenen Brief den dortigen Gläubigen keinen anderen Christus vorgestellt haben als in seiner gemeindegrün-

---

himmlischen Gottessohn umgewandelt habe". Zur abundierenden Literatur über den Philipperhymnus s. *J. Gnilka,* Der Philipperbrief, HThK X, 3, 1968, 111—147; *R. P. Martin,* Carmen Christi. Phil. II.5—11 in Recent Interpretation..., SNTS Monograph Series 4, 1967, mit ausführlicher Bibliographie; *C.-H. Hunzinger,* Zur Struktur der Christus-Hymnen in Phil 2 und 1.Petr 3, in: Der Ruf Jesu und die Antwort der Gemeinde, Festschrift für J. Jeremias, 1970, 145—156; *K. Wengst,* Christologische Formeln und Lieder des Urchristentums, StNT 7, 1972, 144 ff.; vgl. *Ch. Talbert,* JBL 86 (1967), 141 ff.; *J. A. Sanders,* JBL 88 (1969) 279 ff. *J. T. Sanders,* The New Testament Christological Hymns, SNTS Monograph Series 15, 1971, 9 ff. 58 ff. Zu Spezialproblemen s. *J. G. Gibbs,* NovTest 12 (1970), 270 ff.; *P. Grelot,* Bibl 53 (1972) 495 ff.; 54 (1973), 25 ff. 169 ff., der eine Herkunft aus 2-sprachigem Milieu vermutet; *J. Carmignac,* NTS 18 (1971/72), 131 ff.; *C. Spicq,* RB 80 (1973), 37 ff. Ich muß es mir ersparen, auf die jüngste, schlechterdings abenteuerliche Deutung von *H.-W. Bartsch,* Die konkrete Wahrheit und die Lüge der Spekulation, Theologie und Wirklichkeit 1, Frankfurt/Bern 1974, näher einzugehen, in der die Präexistenz Christi im Hymnus geleugnet und die Aussagen des ersten Teils allein auf den Menschen Jesus bezogen werden. Historische Wahrheit wird hier leider gerade nicht konkret, vielmehr triumphiert die ideologisch motivierte, höchst phantasievolle Spekulation. In dieser Studie wird deutlich, was die neutestamentliche Exegese zu erwarten hat, wenn sie der jeweils neuesten politisch-theologischen Mode folgt. Eine die Forschung weiterführende Auslegung gibt dagegen *O. Hofius,* Der Christushymnus Philipper 2,6—11, WUNT 17, 1976.

denden Predigt. Das bedeutet aber, daß sich diese „Apotheose des Gekreuzigten" schon in den vierziger Jahren vollendet haben muß, und man ist versucht zu sagen, *daß sich in jenem Zeitraum von nicht einmal zwei Jahrzehnten christologisch mehr ereignet hat als in den ganzen folgenden sieben Jahrhunderten bis zur Vollendung des altkirchlichen Dogmas.* Ja man könnte sich fragen, ob die Dogmenbildung in der Alten Kirche in der ihr notwendigerweise vorgegebenen griechischen Sprach- und Denkform nicht im Grunde nur konsequent weiterführte und vollendete, was sich im Urgeschehen der ersten beiden Jahrzehnte bereits entfaltet hatte[2].

---

[2] Zur Chronologie s. *W. G. Kümmel,* Einleitung in das Neue Testament, 17. A. 1973, 217 ff. 282 ff.: Gemeindegründung 48/9; 291: Abfassung des Briefes entweder zwischen 53 und 55 in Ephesus oder 56 und 58 in Cäsarea. *J. Gnilka,* Der Philipperbrief, 1968, 3 f. 24 vermutet das Jahr 50 „mit hoher Wahrscheinlichkeit" als das Jahr der Gemeindegründung und die Entstehung des Briefteils A in den Jahren 55/56 von Ephesus aus. Auf ein bis zwei Jahre kommt es hier nicht an. Die Neuveröffentlichung der Gallio-Inschrift durch *A. Plassart,* Fouilles de Delphes Tome III, Épigraphie, Fascicule IV N°ˢ 276 à 350, Paris 1970, N° 286 S. 26 ff. legt m. E. eher die Frühdatierung nahe; vgl. *ders.* RÉG 80 (1967), 372—8 und *J. H. Olivier,* Hesperia 40 (1971), 239 f. Zum Ganzen meine Studie Christologie und neutestamentliche Chronologie, in: Neues Testament und Geschichte, Festschrift für O. Cullmann zum 70. Geburtstag, Zürich/Tübingen 1972, 43—67.

## 2. DIE KRITIK

An diesem Punkt setzt nun freilich die moderne Kritik ein. Kein geringerer als *Adolf von Harnack* beklagte diese Entwicklung „als die Geschichte der Verdrängung des historischen Christus durch den präexistenten (des wirklichen durch den gedachten) in der Dogmatik". Denn „diese scheinbare Bereicherung Christi kam einer Verarmung gleich, weil sie die volle menschliche Persönlichkeit Christi in Wahrheit strich"[3]. In seinem „Wesen des Christentums" feiert er zwar Paulus als den Begründer der „abendländisch-christliche(n) Kultur"[4], aber zugleich sieht er darin eine Gefahr, daß „Paulus, von der messianischen Dogmatik geleitet und durch den Eindruck Christi bestimmt, . . . die Spekulation begründet (hat), daß nicht nur Gott in Christus gewesen ist, sondern daß Christus selbst ein eigentümliches himmlisches Wesen besessen hat . . . Die *Erscheinung* Christi an sich, der Eintritt eines göttlichen Wesens in diese Welt, mußte als die Hauptsache, als die Erlösungsthatsache an sich gelten". Das war zwar bei Paulus noch nicht der Fall, da bei ihm Kreuz und Auferstehung im Mittelpunkt standen und die Menschwerdung sittlich „als Vorbild für unser Thun" gedeutet

---

[3] Lehrbuch der Dogmengeschichte, unv. Nachdr. d. 4. A. 1909, Darmstadt 1964, I, 704 f.

[4] Das Wesen des Christentums, 4. A. 1901, 112.

werden konnte (2.Kor 8,9). Aber die Inkarnation „konnte auf die Dauer nicht an zweiter Stelle stehen, dazu war sie zu groß". Jedoch „an die erste Stelle gerückt, bedrohte sie das Evangelium selbst, weil sie Sinn und Interesse von ihm ablenkte. Wer kann angesichts der Dogmengeschichte leugnen, daß dies geschehen ist?"[5] Dies bedeute aber die dogmatische Erstarrung des Glaubens: „Der lebendige Glaube scheint sich in ein zu glaubendes Bekenntnis verwandelt zu haben, die Hingabe an Christus in Christologie."[6] So weit die kritischen Bemerkungen Harnacks, die man als paradigmatisch für das christologische Denken weiter Kreise des neueren Protestantismus halten darf. Gegenüber dem „speculativen progressus" forderte man den „regressus" zum schlichten Evangelium Jesu[7],

---

[5] Op. cit. 116, vgl. 114 f. den Hinweis auf die „Gefahren" der paulinischen Christologie, zu der er die Lehren von der „objektiven Erlösung" rechnet. Dazu *K. Barth/E. Thurneysen,* Briefwechsel Bd. 2: 1921—1930, 1974, 36 „wodurch ich mich bei den beiden andern (*C. Stange* und *E. Hirsch*) auf's neue in den Verdacht setzte, ich habe eine ‚physische Erlösungslehre', was bei diesem Geschlecht ungefähr das Schlimmste ist, was man von einem sagen kann".

[6] Op. cit. 121.

[7] Vgl. Lehrbuch der Dogmengeschichte loc. cit. und Wesen des Christentums 115: „Die rechte Lehre von und über Christus droht in den Mittelpunkt zu rücken und die Majestät und die Schlichtheit des Evangeliums zu verkehren" (vom Vf. gesperrt). Darüber, daß die paulinische Christologie chronologisch älter ist als die synoptischen Evangelien in ihrer „Schlichtheit", reflektiert Harnack hier nicht. Vielleicht war auch das „ursprüngliche Evangelium" gar nicht so „schlicht", wie es sich Harnack gewünscht hätte. Enthielt nicht schon Jesu Verkündi-

das unbelastet ist von christologischer Spekulation, denn
— um es wieder mit Harnack zu sagen: „Nicht der Sohn,
sondern allein der Vater gehört in das Evangelium, wie
es Jesus verkündigt hat, hinein."[8]

Diese Kritik trifft sich mit der *jüdischer Gelehrter*. In
der modernen jüdischen Forschung wurde der Galiläer
wiederentdeckt, und man hat sich bemüht, ihn ins Judentum „heimzuholen". Der Abfall vom Glauben der Väter
begann dagegen mit Paulus. Greifen wir als Beispiel das
Paulusbild des Erlanger Religionsphilosophen *H. J.
Schoeps* heraus: „Erst Paulus hat in der Reflexion der
messianischen Gestalt (Jesu) aus einem Würdetitel eine
ontologische Aussage gemacht und diese in die mythische
Denkform hinaufgehoben."[9] Sein „Christus ist ... eine
übernatürliche Größe geworden und rückt in die Nähe
gnostischer Himmelswesen ... Dieser himmlische Christus scheint den geschichtlichen Jesus ganz in sich aufge-
sogen zu haben ... Der hier deutlich durchscheinende
Mythos verweist in pagane Bereiche hinüber ..."[10], ge-

---

gung des kommenden Menschensohnes als Weltrichter eine
durchaus „spekulative", apokalyptische Messianologie? Sollte
etwa bereits im Hinweis auf diese himmlische Gestalt der erste
„spekulative" Sündenfall urchristlicher Theologie liegen? Es ist
verständlich — aber eben doch apologetisch —, wenn man in
der neuesten Exegese teilweise die ursprüngliche Verkündigung
Jesu von diesen apokalyptischen Schatten reinigen will. Sie wird
dadurch moderner, aber nicht authentischer.

[8] Wesen des Christentums 91 (vom Vf. gesperrt).

[9] *H. J. Schoeps*, Paulus, Die Theologie des Apostels im
Lichte der jüdischen Religionsgeschichte, 1959, 154.

[10] Op. cit. 157.

nauer „auf den Religionssynkretismus Kleinasiens"[11]. Das Urteil von Schoeps ist konsequent und klar: „Wir sehen in dem υἱὸς θεοῦ-Glauben ... die einzige, allerdings entscheidende heidnische Prämisse des paulinischen Denkens. Alles, was mit ihm zusammenhängt ..., ist unjüdisch und führt in die Nähe heidnischer Zeitvorstellungen."[12] Dadurch, daß sich die paulinische Christologie und Soteriologie mit diesem „unjüdischen Sohngottesglauben" verband und zum „Dogma der christlichen Kirche wurde, hat sie für immer den Rahmen des jüdischen Glaubens gesprengt". Schoeps schließt mit einem Hinweis auf Harnacks Urteil: „Die seinerzeit viel besprochene ‚akute Hellenisierung des Christentums' liegt an dieser Stelle."[13]

---

[11] Op. cit. 165. Schoeps verweist in diesem Zusammenhang auf die alte Hypothese eines Einflusses der tarsischen Stadtgottheit Sandan, der in hellenistischer Zeit als Herakles verehrt wurde. Zur Kritik s. die vorzügliche Besprechung von *A. D. Nock*, Gnomon 33 (1961), 583 A. 1 = Essays on Religion and the Ancient World, 1972, II, 930 A. 5. Die Hypothese, daß Sandan-Herakles ein sterbender und auferstehender Gott gewesen sei, ist äußerst fraglich, s. auch *H. Goldman*, JAOS 60 (1940), 544 ff. und Hesperia Suppl. 8, 1949, 164 ff. Schon *Zwicker*, Artk. Sandon, PW 2. R. 1, 1920, 2267 betonte „unsere geringe Kenntnis vom Wesen des S.", die zu „verschiedenen, unsicheren Deutungen (führt)". Ganz abgesehen davon muß man nach Apg 22,3; 26,4; Phil 3,5 und Gal 1,13 f. damit rechnen, daß Paulus schon sehr früh, als Kind, nach Jerusalem übersiedelte und dort erzogen wurde. S. *W. C. van Unnik*, Sparsa Collecta I, Leiden 1973, 259—327.

[12] *H. J. Schoeps*, op. cit. 163 (vom Vf. hervorgehoben).

[13] Op. cit. 173. Vgl. schon Aus frühchristlicher Zeit, 1950, 229: „Der der judenchristlichen Urgemeinde fremde υἱὸς θεοῦ-Glaube ist m. E. durch keinerlei analoge Spekulationen als

Es wäre reizvoll, *diese Begegnung von Reformjudentum und liberalem Protestantismus* über der Kritik des christologischen Dogmas weiterzuverfolgen[14], aber der ver-

---

jüdisch denkmöglich zu erweisen." Diese These ist — wie noch zu zeigen sein wird — falsch. H. J. Schoeps geht hier von einem normativen Begriff des „Judentums" aus, der sich erst in nachchristlicher Zeit in ständiger Auseinandersetzung mit dem Christentum aus dem Pharisäismus herausentwickelt hat, vgl. *G. Lindeskog*, Die Jesusfrage im neuzeitlichen Judentum, 1938, 15. Das Phänomen der *jüdischen Mystik* wird dabei überhaupt nicht beachtet, vielmehr, wie bei vielen jüdischen Historikern, apologetisch verdrängt (s. u. S. 138 A. 150). Der von Schoeps zitierte Aufsatz von *A. Marmorstein*, The Unity of God in Rabbinic Literature, in: Studies in Jewish Theology, Oxford 1950, 101 ff. vgl. 93 ff. spiegelt gerade diese spätere jüdisch-christliche Auseinandersetzung wider.

[14] Die Auseinandersetzung mit Paulus läuft parallel zur „Heimholung Jesu ins Judentum", s. dazu schon das Doppelwerk von *Joseph Klausner*, Jesus von Nazareth, 3. A. Jerusalem 1952 und Von Jesus zu Paulus, Jerusalem 1950, oder die neueren Studien von *Schalom Ben-Chorin*, Bruder Jesus, 3. A. 1970 und Paulus, 1970; vgl. auch *L. Baeck*, Romantische Religion (1922) in: Aus drei Jahrtausenden, 1958, 47 ff., und positiver: The Faith of Paul, JJSt 3 (1952) 93—110 (= Das Paulusbild in der neueren deutschen Forschung, WdF 24, 1964, 565—590) u. *M. Buber*, Zwei Glaubensweisen, 1950, 79 ff. Dazu *R. Mayer*, Christentum und Judentum in der Schau Leo Baecks, Studia Delitzschiana 6, 1961, 58—64. Das schlichte Büchlein von Ben-Chorin zeigt bei aller Wahrung des jüdischen Standpunktes im Gegensatz zu den Arbeiten von Klausner bis Schoeps das am tiefsten gehende Verständnis für Paulus, es erkennt vor allem die jüdischen Wurzeln des paulinischen Denkens: „Ganz allgemein kann man sagen: Paulus übernahm die Bausteine zu seinem theologischen Gebäude, bewußt oder unbewußt, aus dem Judentum. Es gibt in diesem gewaltigen

antwortungsvolle Theologe, Historiker und Exeget kann sich gerade heute nicht mehr mit dem viel nachgesprochenen Satz von D. F. Strauß zufriedengeben: „Die wahre Kritik des Dogmas ist seine Geschichte." Er muß sich vielmehr bemühen, die durch den urchristlichen Glauben geschaffenen Vorstellungen und Begriffe nicht nur im Blick auf ihre historische Herkunft zu analysieren, sondern sie auch theologisch zu verstehen und zu interpretieren[15], und diese Aufgabe schließt immer die kritische Überprüfung bisheriger Kritik mit ein.

---

Bau der paulinischen Theologie kaum einen Bestandteil, der nicht jüdisch wäre. Manchmal erscheint es uns so, als ob hier etwas ganz anderes, Neues und Fremdes auftreten würde, aber bei näherem Hinsehen zeigt sich der jüdische Hintergrund der Gedankenwelt des Paulus, auch dort, wo er scheinbar in schroffem Gegensatz zum Judentum steht" (S. 181). Vgl. auch die stark psychologisierende Studie von R. L. Rubinstein, My Brother Paul, New York etc. 1972.

[15] *K. Barth/E. Thurneysen* (o. A. 5), 253 f. zur altkirchlichen Trinitätslehre: „Ihr Männer, liebe Brüder, welch ein Gedränge! Meint nur ja nicht, das sei altes Gerümpel, alles, alles scheint, bei Licht besehen, seinen guten Sinn zu haben . . .".

## 3. DAS ZEUGNIS DES PAULUS

Beginnen wir mit *den frühesten uns erhaltenen Zeugnissen* des Urchristentums, *den echten Briefen des Paulus!* Der rein statistische Befund scheint der Meinung von Schoeps, daß der Titel Sohn Gottes für Paulus zentrale Bedeutung habe, zu widersprechen. Denn Paulus gebraucht die beiden Titel „Herr" und „Sohn Gottes", die Jesus in besonderer Weise als erhöhte, himmlische Gestalt kennzeichnen, in ganz ungleicher Weise. Während er ‚Kyrios' 184mal verwendet, finden wir ‚hyios theou' nur fünfzehnmal! Auffallend ist auch die Verteilung beider Begriffe. In denjenigen Briefen, in denen am stärksten die Auseinandersetzung mit der jüdischen Tradition geführt wird, im Römer- und Galaterbrief, begegnet uns „Sohn Gottes" am häufigsten, nämlich sieben- bzw. viermal, während die beiden Briefe, die an die nun wirklich von einer „akuten Hellenisierung" bedrohte Gemeinde von Korinth gerichtet waren, „Sohn Gottes" nur dreimal enthalten. Man war dort auf echt griechische Weise in der Gefahr, die neue Botschaft nicht als eine gnostische, sondern — in Verbindung mit einer Fehldeutung der paulinischen Freiheitslehre — als eine „dionysisch-mysterienhafte" Heilslehre zu interpretieren.

Kramer, der die jüngste Analyse zu den Hoheitstiteln bei Paulus vorgelegt hat, kommt auf Grund des „statistischen" Sachverhalts und formgeschichtlicher Analysen zu einem ganz anderen Ergebnis als Schoeps:

1. „Gottessohntitel und -vorstellung (sind) für Paulus nur von untergeordneter Bedeutung", und:

2. Paulus gebraucht den Begriff in der Regel in vorgeprägten festen Formeln, die er aus älterer Tradition übernommen hat, wobei „seine ursprüngliche Bedeutung bereits verblaßt (ist)"[16].

Das hieße aber, daß dieser angebliche „Sündenfall" der spekulativen „Hellenisierung" der Christologie bereits in der Urgemeinde vor Paulus erfolgt sein müßte!

Bevor wir uns der schwierigen Frage nach dem religionsgeschichtlichen Ursprung des Sohn-Gottes-Titels zuwenden, werden wir daher zunächst die beiden Thesen von Kramer zu prüfen haben. Wenden wir uns als erstes der Bedeutung des Begriffs bei Paulus zu[17]. Sie könnte nicht allein von der Wortstatistik, sondern auch vom Kontext der Verwendung des Titels im Rahmen der paulinischen Briefe abhängig sein. Im Römerbrief fällt auf, daß der Titel sofort dreimal in der Einleitung erscheint und Paulus damit den Inhalt seines Evangeliums umschreibt (1,3.4.9). Wieder dreimal begegnet er uns auf dem Höhepunkt des Briefes im 8. Kapitel, dessen Skopus man in dem einen Satz zusammenfassen könnte: Der

---

[16] W. *Kramer*, Christos, Kyrios, Gottessohn, AThANT 44, 1963, 189. 185.

[17] Zum Folgenden vgl. E. *Schweizer*, Artk. υἱὸς θεοῦ ThW VIII, 1969, 384 ff.; *J. Blank*, Paulus und Jesus, SANT 18, 1968, 249—303; W. *Thüsing*, Per Christum in Deum, NTA NF 1, 2. A. 1969, 144—147.

2*

„Sohn Gottes" macht uns zu „Söhnen Gottes", die an
seiner himmlischen „δόξα" partizipieren sollen (8,3.29.
32)[18]. Daran zeigt sich, daß für Paulus nicht die spekulative, sondern die *Heilsbedeutung* des Begriffs im Vorder-
grund steht. Denselben Eindruck vermittelt der Galaterbrief. Hier erscheint am Anfang des Briefes der Sohn
Gottes im Zusammenhang der radikalen Lebenswende des
Apostels:

> „Als es aber (Gott), der mich von Mutterleibe ausgesondert
> und durch seine Gnade berufen hat, gefiel, seinen Sohn mir
> zu offenbaren, damit ich ihn unter den Heiden verkündige..."
> (1,15 f.).

Damit bezeichnet Paulus zugleich den Gottessohn als
den eigentlichen *Inhalt seines Evangeliums*[19]. Analog da-

---

[18] Vor allem Rö 8,29 f.; vgl. Phil 3,21. Dazu *J. Blank,* op.
cit. 287 ff.; *H. R. Balz,* Heilsvertrauen und Welterfahrung,
BEvTh 59, 1971, 109 ff. Zur Kritik an Kramer s. S. 110
Anm. 246, er habe „den Rahmen der von Paulus übernomme-
nen Sohn-Aussagen zu eng gesteckt". Vgl. auch *W. Thüsing,*
op. cit. 121 ff. und *P. Siber,* Mit Christus leben, AThANT 61,
1971, 152 ff. Paulus hat hier eine stark traditionell geprägte
Begrifflichkeit.

[19] *J. Blank,* op. cit. 222 ff.: „,Gegenstand' der Offenbarung
ist der ,Sohn Gottes', der von den Toten auferstandene Jesus
Christus" (229); vgl. 249. 255. Ähnlich *H. Schlier,* Der Brief
an die Galater, MeyersK, 12. A. 1962, 55: „Die Offenbarung
Gottes an Paulus hat ein persönliches Objekt: Gott enthüllt ihm
seinen Sohn. Damit ist hier der erhöhte Herr gemeint."
*P. Stuhlmacher,* Das paulinische Evangelium I. Vorgeschichte,
FRLANT 95, 1968, 81 f. definiert die Offenbarung des Sohnes
als „das Sehenlassen des Auferstandenen als des von Gott
inthronisierten und also zum Herrscher eingesetzten Gottes-

zu begegnet uns der Titel — ähnlich wie in Rö 8 — in der Spitzenaussage des Briefes überhaupt:

„Als aber die Fülle der Zeit gekommen war, sandte Gott seinen Sohn, geboren von einem Weibe und unter das Gesetz gestellt, damit er die unter dem Gesetz (Versklavten) loskaufte, damit wir die Sohnschaft empfingen" (Gal 4,4 f.)[20].

Wieder ist der Skopus eindeutig soteriologisch: Der „Sohn Gottes" befreit uns dazu, „Söhne Gottes" zu werden.

Dieser Befund wird bestätigt durch einen ganz anderen Text zu Beginn des 2.Korintherbriefes (1,18 f.):

„Bei Gottes Treue! Unser Wort an euch ist nicht Ja und Nein (zugleich). Denn *der Sohn Gottes,* Christus Jesus, der durch uns unter euch verkündigt wurde . . ., war nicht Ja und Nein (zugleich), sondern in ihm hat sich das ‚Ja‘ ereignet!"

Auch hier ist der Sohn Gottes Inhalt der Botschaft des Apostels. Die feierliche Verwendung des Sohnestitels unterstreicht dabei — wie schon Bachmann in · seinem Kommentar bemerkte — die „Zusammengehörigkeit des

---

sohnes", vgl. ders. ZThK 67 (1970), 30. Hier könnte eine Beziehung zu dem alten Sohn-Gottes-Bekenntnis Rö 1,3 f. sichtbar werden. Zum dativischen Verständnis des „en emoi" s. *F. Mußner,* Der Galaterbrief, HThK IX, 1974, 86 f. A. 45.

[20] Vgl. *E. Schweizer,* ThW VIII, 385 f.; *J. Blank,* op. cit. 260—278; *W. Thüsing,* op. cit. 116 ff.; *G. Eichholz,* Die Theologie des Paulus im Umriß, 1972, 157 ff.; *F. Mußner,* op. cit. 268 ff.: „Das Geschick des Sohnes hatte einen bestimmten Heilszweck" (270); 273: „Der Sohn ist ganz Sohn für uns." Paulus führt „die Sohneschristologie . . . nicht aus spekulativen Gründen . . ., sondern aus soteriologischen Absichten" ein.

Sohnes mit dem Vater". In seiner Menschwerdung wird Gottes Ja zum verlorenen Menschen eindeutig ausgesprochen: „Denn durch ihn sind alle Gottesverheißungen zum ‚Ja' geworden" (1,20). Weil aber durch den Sohn Gottes „Ja" für alle Menschen Wirklichkeit wurde, kann die Gemeinde „durch ihn" ihr Gebet zur Ehre Gottes mit dem „Ja" des Amens beschließen und bekräftigen.

Auch im ersten Korintherbrief erscheint der Sohn zunächst einmal am Anfang des Schreibens (1,9) und dann wieder an einem Höhepunkt 1.Kor 15,28: Am Ende aller Dinge, wenn durch die Parusie Christi und die allgemeine Auferstehung auch der Tod als letzte Macht besiegt ist, „dann wird auch *der Sohn* selbst sich dem unterwerfen, der ihm alles unterworfen hat, damit sei Gott alles in allem"[21]. Paulus umschreibt so mit dem Begriff des Sohnes nicht nur den präexistenten und menschgewordenen Erlöser der Welt als Inhalt seiner Missionspredigt, sondern auch den Vollender von Schöpfung und Geschichte. Dasselbe tut er schon in seinem frühesten Schreiben 1.Thess 1,10, wo von der Erwartung des vom Himmel kommenden Sohnes die Rede ist, „der uns vom kommenden Zorngericht errettet wird"[22].

---

[21] Zur Auslegungsgeschichte dieser für die altkirchliche Christologie bedeutsamen Stelle s. jetzt *E. Schendel,* Herrschaft und Unterwerfung Christi. 1.Kor 15,24—28 in Exegese und Theologie der Väter bis zum Ausgang des 4. Jhdts., BGE 12, 1971.

[22] Vgl. *G. Friedrich,* ThZ 21 (1965), 512 ff. und *E. Schweizer,* ThW VIII, 372. 384, die unter Verweis auf Apok 2,18 vermuten, daß hier Gottessohn in eine Aussage über den

Bei nahezu allen paulinischen Sohn-Gottes-Aussagen fällt weiter auf, daß Paulus den Titel verwendet, *wenn er von der engen Verbindung Jesu Christi mit Gott spricht und das heißt zugleich von seiner Funktion als „Heils-Mittler"* zwischen Gott und Menschen. Gegen Kramer wird man daher dem Altmeister der religionsgeschichtlichen Schule W. Bousset recht geben dürfen, der bemerkte, daß zwar „Sohn Gottes" — ähnlich wie das Verb „glauben" — bei Paulus sehr viel seltener ist als etwa in der johanneischen Literatur, daß wir ihn jedoch „andrerseits auf den Höhepunkten der Darlegung (finden)". Bousset kann sich dabei sogar auf Lukas berufen: „Das einzige Mal, wo der Verfasser der Apg. den Titel ὁ υἱὸς τοῦ θεοῦ gebraucht, geschieht das in der Zusammenfassung der paulinischen Predigt (9,20)."[23]

So sehr man Bousset und der religionsgeschichtlichen Schule, wie auch Harnack und Schoeps, in ihrer Betonung der Bedeutung des Sohnestitels für Paulus folgen kann, so wenig überzeugt die Hypothese Boussets, daß wir es bei ihm „mit einer selbständigen Schöpfung des Paulus zu tun haben"[24]. Die form- und traditionsgeschichtliche Analyse hat längst gezeigt, daß Paulus diesen Titel aus älterer Tradition empfing. Das erweist sich schon aus der Tatsache, daß er gerade ihn mit dem Ereignis seiner Be-

---

Menschensohn eingetreten ist. Es fragt sich nur, wo und wann diese Substitution stattgefunden hat.

[23] *W. Bousset,* Kyrios Christos, Nachdr. d. 2. A. 1921, 1965, 151. Zur Kritik an der These Kramers s. auch *J. Blank,* op. cit. 283 f.; vgl. 300 ff.

[24] *W. Bousset,* loc. cit.

rufung verbindet, die etwa zwischen 32 und 34 n. Chr. erfolgt sein wird[25]. Es handelt sich vor allem um zwei Formulierungen, die der Apostel bereits aus der vor- oder exakter nebenpaulinischen Gemeinde (vermutlich in Syrien) übernommen haben könnte:

1. *Die Sendung des präexistenten Sohnes in die Welt.* Hier finden wir in Rö 8,3 und Gal 4,4 dasselbe syntaktische Schema: Subjekt ist Gott, es folgt als Prädikat ein Verb des Sendens. Das Objekt ist der Sohn, daran schließt sich ein durch „ἵνα" eingeleiteter Finalsatz an, der die Heilsbedeutung der Sendung erläutert. Dieselbe Aussage in gleicher Satzform finden wir — unabhängig von der paulinischen Tradition — später mehrfach wieder im johanneischen Schrifttum (Joh 3,17; 1.Joh 4,9.10.14). Typisch paulinisch ist dagegen die theologische Ausdeutung: Die Befreiung von der Macht der Sünde und des Gesetzes und die Einsetzung des Glaubenden in das Sohnesverhältnis gegenüber Gott selbst[26].

---

[25] *M. Hengel* (o. A. 2), 44. 61 f. Auch hier ist eine Differenz von ein bis zwei Jahren unwesentlich.

[26] *W. Kramer,* op. cit. 105 ff.; *E. Schweizer,* Zum religionsgeschichtlichen Hintergrund der ‚Sendungsformel‘, Gal 4,4 f., Rö 8,3 f., Joh 3,16 f., 1.Joh 4,9, ZNW 57 (1966), 199—210 = Beiträge zur Theologie des Neuen Testaments, Zürich 1970, 83—95; *ders.* ThW VIII, 376 ff. 385 f.; *ders.* Jesus Christus im vielfältigen Zeugnis des Neuen Testaments, Siebenstern-Taschenbuch 126, 1968, 83 ff. Die Einwände von *K. Wengst,* Christologische Formeln und Lieder des Urchristentums, StNT 7, 1972, 59 A. 22 gegen die Existenz einer „Sendungsformel" können nicht überzeugen. Auch wenn man entsprechend der Warnung *H. v. Campenhausens,* ZNW 63 (1972), 231 A. 124 bei der Verwendung des Begriffs „Formel" zurückhaltend sein

**2.** *Die Dahingabe des Sohnes in den Tod.* Der Apostel beginnt das strahlende Schlußbekenntnis von Rö 8,32 ff.:

„Wenn Gott für uns ist, wer kann wider uns sein? Der seinen eigenen Sohn nicht verschont, sondern ihn für uns alle dahingegeben hat, wie sollte er uns mit ihm nicht alles schenken?"

Hier klingt einerseits der alttestamentliche Bericht von Isaaks Opferung an[27], daneben vermutlich wieder ein festes Schema, das seinen Niederschlag auch in einem wohlbekannten Vers des Johannesevangeliums gefunden hat (3,16):

„Also hat Gott die Welt geliebt, daß er seinen eingeborenen Sohn hingab ..."

In Gal 2,20 spricht Paulus nicht mehr von Gott, sondern von dem Sohn als dem Subjekt der Hingabe:

---

sollte, damit der „formelgierigen Hydra" nicht weiter „fortwuchernde Köpfe" nachwachsen, so scheint mir hier doch der Gebrauch gerechtfertigt zu sein. S. auch *F. Mußner,* Galater 271 ff.: „ein vorpaulinisches Verkündigungsschema ..., das mit verschiedenem Material aufgefüllt wird" (272).

[27] ὅς γε τοῦ ἰδίου υἱοῦ οὐκ ἐφείσατο; vgl. Gen 22,12.16: καὶ οὐκ ἐφείσω τοῦ υἱοῦ σου τοῦ ἀγαπητοῦ δι' ἐμέ. Vgl. weiter Ps. Philo 18,5; 32,2 ff. Literatur bei *J. Blank,* op. cit., 294 ff. und *E. Käsemann,* An die Römer, HNT 8a, 1973, 237; zu den jüdischen Parallelen und ihren Beziehungen zu Rö 8,32 s. *G. Vermes,* Scripture and Tradition in Judaism, 2nd ed. 1973, 193—227 (218 ff.); *Sh. Spiegel,* The Last Trial. On the Legends and Lore of the Command to Abraham to offer Isaac as a Sacrifice: The Akedah, New York, 1969, 82 ff. Vgl. dort 83 A. 26 die antichristliche Polemik des R. Abin i. N. R. Hilkias Agg. Ber. c. 31 ed. Buber S. 64.

„was ich aber jetzt im Fleisch lebe, das lebe ich im Glauben an
den Sohn Gottes, der mich geliebt und sich selbst für mich
dahingegeben hat."

Der Sohnestitel umschreibt dabei die Einzigartigkeit
des Heilsgeschehens, die Größe des Opfers um unseret-
willen. Auch hier haben wir wieder johanneische Parallelen, freilich ohne den Sohnestitel (10,11; 15,13; 1.Joh
3,16)[28]. Diese geprägten und darum dem Paulus wahrscheinlich schon vorgegebenen Sohn-Gottes-Aussagen besitzen so im Grunde zwei komplementäre Schwerpunkte:

1. Die Sendung des präexistenten Sohnes in die Welt.

2. Seine Dahingabe im Tod am Kreuz.

Beide Motive begegnen uns auch in dem am Anfang
zitierten Philipperhymnus, wo das göttliche Wesen des
Präexistenten und der Sklaventod des Menschgewordenen verbunden werden — nur daß dort der Sohn-
Gottes-Titel nicht erscheint: Im Schlußakt der Erhöhung
wird der Gekreuzigte vielmehr als „Kyrios" akklamiert,
ein Zeichen, wie nahe der Titel „Kyrios" von der Sache
her mit dem „Sohn Gottes" verwandt ist[29].

Werfen wir noch einen Blick auf den in seiner Authen-
tizität umstrittenen Kolosserbrief. Hier finden wir hym-

---

[28] Zur geprägten Form von Rö 8,32 und Gal 2,20 s. *W. Kramer*, op. cit. 112 ff.; vgl. jedoch die m. E. nicht zureichende
Kritik von *W. Popkes*, Christus Traditus, AThANT 49, 1967,
201 ff., weiter *E. Schweizer*, ThW VIII, 386; *J. Blank*, op. cit.
298 ff. und *F. Mußner*, Galater 50 f. 183 A. 77.

[29] Man wird daher auch für beide nicht zwei grundsätzlich
verschiedene religionsgeschichtliche Wurzeln annehmen dürfen.
Sie werden vielmehr aus demselben religiösen Milieu kommen.

nische Aussagen, deren Subjekt wieder der „geliebte Sohn" (1,13) ist:

„Er ist das Bild des unsichtbaren Gottes, Erstgeborener vor aller Schöpfung; denn in ihm wurde alles geschaffen . . ." (1,15).

Selbst hier darf der Hinweis auf den Tod am Kreuz am Ende nicht fehlen (1,20). Freilich nicht im Sinne der Selbstentäußerung wie im Philipperhymnus, sondern als Werk der umfassenden Weltversöhnung[30]. Wir wollen hier auf die vielfältigen Probleme dieses Hymnus nicht weiter eingehen, da er doch wohl deutlich nachpaulinisches Gepräge trägt[31]. Uns interessieren nur jene Züge, die wir bei Paulus selbst wiederfinden. Dabei wäre zunächst die *Schöpfungsmittlerschaft* Christi zu nennen. Paulus deutet sie an einer formelhaft geprägten Stelle an:

---

[30] Zur neueren Literatur s. *W. Pöhlmann*, ZNW 64 (1973), 53 A. 2: Die verschiedenen Hypothesen führen zu keiner einigermaßen sicheren Herstellung einer Urform. Dies gilt auch für die Sühneaussage in 1,20b, die nicht sicher als Zusatz zu erweisen ist. Auf jeden Fall war der Hymnus von Anfang an christlich. Pöhlmann bietet S. 56 einen abgewogenen Rekonstruktionsversuch. Zur Weltversöhnung vgl. *E. Schweizer*, Beiträge zur Theologie des Neuen Testaments, 1970, 132 ff. 139 ff. Zur Parallele in Eph 2,14—18 s. *P. Stuhlmacher* in: Neues Testament und Kirche. Festschrift R. Schnackenburg, 1974, 337—358.

[31] Mit *E. Lohse*, Die Briefe an die Kolosser und an Philemon, MeyersK 14. A. 1968, 249 ff. gegen *W. G. Kümmel*, Einleitung in das Neue Testament, 17. A. 298 ff. Der Kolosser- und Epheserbrief sind jedoch wesentlich älter als die Pastoralbriefe. Ich halte eine Entstehung vor 70 n. Chr. für nicht ausgeschlossen.

„Wir haben aber einen Gott, den Vater, aus dem alles ist und wir auf ihn hin, und einen Herrn Jesus Christus, durch den alles ist und wir durch ihn" (1.Kor 8,6).

Der Vater ist Urgrund und Ziel der Schöpfung, Christus dagegen der Mittler[32]. Gleichzeitig zeigt sich auch

---

[32] *P. H. Langkammer*, NTS 17 (1970/71) 193 ff.: „Daß es sich hier um Anfänge einer Sohn-Gottes-Theologie handelt, kann nicht angezweifelt werden" (194). Diese von Paulus gegen die Vielzahl heidnischer Götter und Herren gerichtete Formel wird Vorläufer in der jüdischen Missionstheologie besessen haben, vgl. etwa Sib 3,11; fr. 1,7 (Geffcken 227); dazu fr. 3,3 (230); 3,629.718; 2.Makk 7,37; Da 3,45; Jos.Ant. 4,201 u. ö., vgl. *M. Hengel*, Die Zeloten, AGSU 1, 1961, 101 ff. Die akklamatorische Form der ΕΙΣ ΘΕΟΣ-Formel entspringt nicht, wie *E. Peterson*, ΕΙΣ ΘΕΟΣ, FRLANT 41, 1926, 227 ff. u. ö. meinte, paganen Akklamationen, zumal diese durchweg später sind, sondern dem jüdisch-hellenistischen Glaubensbekenntnis vgl. Dtn 6,4 und Sach 14,9 LXX. Die Verbindung mit dem Schöpfungsgedanken ist erst recht jüdischen Ursprungs, vgl. Arist. 132. Dagegen ist die Beziehung, die *K. Wengst*, Christologische Formeln und Lieder des Urchristentums, StNT 7, 1972, 139 zu dem fragmentarischen orphisch-dionysischen Gurob-Papyrus aus dem 3. Jh. v. Chr. herstellt, zu phantasievoll. Das Rätsel dieses Papyrus und der darin erstmals enthaltenen Formel εἰς Διόνυσος in einem ungeklärten Kontext ist nach wie vor ungelöst, s. *M. P. Nilsson*, Geschichte der griechischen Religion, 2. A. 1961, II, 244 f. und *O. Schütz*, RhMus 87 (1938), 241 ff., der eine sehr hypothetische Rekonstruktion des zerstörten Papyrus versucht. Das εἰς Διόνυσος ist dabei gerade nicht Akklamation (246 Z. 23). Zu Christus als Schöpfungsmittler s. *H. F. Weiß*, Untersuchungen zur Kosmologie des hellenistischen und palästinischen Judentums, TU 97, 1966, 288. 301. 305 ff.; *H. Hegermann*, Die Vorstellung vom Schöpfungsmittler im hellenistischen Judentum und Urchristentum, TU 82, 1961, 88 ff. zu Kol 1,15 ff. und 111 f. 135. 137. 200.

hier die enge Verbindung zwischen den Titeln „Herr" und „Sohn Gottes". Daß wir nur diese eine — man möchte sagen zufällige — Schöpfungsmittleraussage von Paulus besitzen, erweist, wie wenig uns im Grunde aus der gesamten Theologie des Apostels bekannt ist. Wir kennen nur die — freilich faszinierende — Spitze des Eisberges.

Es bleibt noch die Frage, warum Paulus „Kyrios" so sehr viel häufiger verwenden konnte als „Sohn Gottes", obwohl beide Titel sachlich nahe beieinanderstehen und zum Teil austauschbar sind, da sie beide auf den Auferstandenen und Erhöhten hinweisen. Während das sehr viel seltenere „Sohn Gottes" vor allem die einzigartige Relation des Erhöhten zu Gott, dem Vater, zum Ausdruck brachte, drückte sich im Kyrios-Titel, der zugleich als Gebetsanrede und in der Akklamation verwendet werden konnte, vor allem die Relation zwischen dem Erhöhten und seiner Gemeinde bzw. dem einzelnen Glaubenden aus. Die Formel Κύριος Ἰησοῦς (Rö 10,9; 1.Kor 12,3; Phil 2,11) bildete auf knappste Form gebracht das Grundbekenntnis der Gemeinde zu dem gekreuzigten, auferstandenen, von Gott erhöhten und wiederkommenden Jesus. Kyrios wurde so der gängige Titel im Gottesdienst und im individuellen Leben des Glaubens, *die sprachlich kompliziertere Form „Sohn Gottes" blieb dagegen als Ausnahme bestimmten theologischen Spitzenaussagen vorbehalten.*

Weiter ist Christus bei Paulus auch die „εἰκών", das „*Ebenbild Gottes*", dessen Glanz in der Verkündigung des Evangeliums aufstrahlt (2.Kor 4,4). Es verbindet sich

in diesem Begriff die Vorstellung des Offenbarungs- mit
der des Schöpfungsmittlers. Die „εἰκὼν θεοῦ" berührt sich
mit der „μορφὴ θεοῦ" des Philipperhymnus, ja man könnte sich fragen, ob nicht der eine Begriff den anderen interpretiert[33]. Auch bei dieser Bezeichnung geht es um die
Heilsbedeutung Christi. In ihm als dem „Ebenbild Gottes" — man könnte auch mit E. Jüngel vom „Gleichnis"
Gottes sprechen — wird Gottes eigentliches Wesen, seine
Liebe, für den Glaubenden sichtbar (1.Joh 4,8 f.).

Die paulinische Vorstellung vom Sohn Gottes, die gewiß nicht seine eigene Schöpfung war, sondern auf älterer Gemeindetradition vor den paulinischen Briefen be-
ruht, erweist sich so als höchst eigenartig. Jesus, der in
jüngster Zeit gekreuzigte Jude, dessen leiblichen Bruder
Jakobus — den ἀδελφὸς τοῦ κυρίου — Paulus selbst
persönlich gut gekannt hat (Gal 1,19; 2,9 vgl. 1.Kor 9,5),
ist nicht nur der durch Gott von den Toten auferweckte
Messias, sondern sehr viel mehr. Er ist identisch mit
einem göttlichen Wesen, vor aller Zeit, Mittler zwischen
Gott und seinen Geschöpfen, d. h. zugleich Mittler der

---

[33] *F.-W. Eltester*, Eikon im Neuen Testament, BZNW 23,
1958, 133; *R. P. Martin*, An Early Christian Confession:
Philippians II.5—11 in Recent Interpretation, 1960; *ders.* Carmen Christi. Philippians II.5—11 in Recent Interpretation and
in the Setting of Early Christian Worship, 1967, 107 ff. Man
darf jedoch beide Begriffe nicht vorschnell einfach identifizieren s. schon *J. Behm*, Artk. μορφή ThW IV, 760 und neuer-
dings mit zahlreichen sprachlichen Belegen *C. Spicq*, RB 80
(1973) 37—45. Vgl. Sib 3,8: ἄνθρωποι θεόπλαστον ἔχοντες
ἐν εἰκόνι μορφήν; CH 1, 12: περικαλλὴς γάρ, τὴν τοῦ πατρὸς
εἰκόνα ἔχων· ὄντως γὰρ καὶ ὁ θεὸς ἠράσθη τῆς ἰδίας μορφῆς.

Heilsoffenbarung Gottes, der z. B. Israel als wasserspen-
dender Fels durch die Wüste begleitete (1.Kor 10,4). Als
Mensch geboren, nimmt er das jüdische Gesetz auf sich
und stirbt den schmählichsten Tod, den die Antike kannte,
den Tod am Kreuz[33a].

---

[33a] *M. Hengel*, Mors turpissima crucis, in: Rechtfertigung.
Festschrift für Ernst Käsemann zum 70. Geburtstag, 1976,
125—184.

## 4. DIE THESE DER
## RELIGIONSGESCHICHTLICHEN SCHULE

Es ist durchaus verständlich, wenn man für dieses neu-
artige Christusbild ein *neues „hellenistisches" Christentum* postulierte[34], das R. Bultmann, der hier gewissermaßen als der Sprecher der religionsgeschichtlichen Schule
auftritt, als „im Grunde eine ganz neue Religion gegenüber dem palästinensischen Urchristentum" bezeichnen
konnte. Erst recht muß eine derartige Spekulation sich
von der Verkündigung Jesu abheben, die Bultmann im
Anschluß an Wellhausen als „reines Judentum, reine(n)
Prophetismus" umschreibt[35], womit er im Grunde die

---

[34] *W. Heitmüller*, ZNW 13 (1912), 320—337 = *K. H.
Rengstorf* (Hrsg.), Das Paulusbild in der neueren deutschen
Forschung, WdF 24, 1964, 124—143; vgl. noch die Bonner
Dissertation von *H. W. Boers*, The Diversity of New Testa-
ment Christological Concepts and the Confession of Faith,
1962, 114 ff., dazu *M. Hengel* (o. A. 2), 47 ff.

[35] Glauben und Verstehen 1, 1933, 253. 265. Zu Jesus vgl.
auch *ders.*, Jesus, 1926, 55 f. u. Theologie des Neuen Testaments
6. A. 1968, 28 die Stichworte „Prophet und Rabbi"; dazu
*M. Hengel*, Nachfolge und Charisma, BZNW 34 (1968), 46 ff.
S. schon *J. Wellhausen*, Einleitung in die drei ersten Evangelien, 1905, 113: „Jesus war kein Christ, sondern Jude. Er ver-
kündete keinen neuen Glauben, sondern er lehrte den Willen
Gottes tun." Darüber die Auseinandersetzung zwischen *R. Bultmann*, SAH 1960, 3,8 f. = Exegetica 448 f. u. *E. Käsemann*,

Heimholung Jesu ins Judentum vollendet. Der große Marburger korrigierte dabei gleichzeitig Harnacks These von einer „Hellenisierung des Christentums" im Sinne der religionsgeschichtlichen Schule: Die Ursache dieser Neugestaltung sei nicht — wie man noch im 19. Jh. unter dem Einfluß F. C. Baurs glaubte — ein spekulativ-philosophisches Interesse griechischer Heidenchristen gewesen, sondern eine neue, von den Mysterienreligionen geprägte „Kultusfrömmigkeit"[36]. In seiner Kritik des christologischen Bekenntnisses des Ökumenischen Rates 1950 präzisiert Bultmann diese religionsgeschichtliche Theorie im Blick auf den „Sohn Gottes":

„Denn die Gestalt einer leidenden und sterbenden und wieder zum Leben erweckten Sohnesgottheit kennen ja auch Mysterienreligionen, und vor allem kennt die Gnosis die Vorstellung des Mensch gewordenen Gottessohnes, des Mensch gewordenen himmlischen Erlösers."[37]

Wenn Bultmann, seine Lehrer Bousset und Heitmüller und seine Nachfolger, die diese These bis zur Ermüdung, ohne sie freilich zureichend an den antiken Quellen zu verifizieren, wiederholten, recht hätten, dann müßte sich wenige Jahre nach dem Tode Jesu unter der geistigen

Exegetische Versuche und Besinnungen, 1, 1960, 206; 2, 1964, 48 f.

[36] *Bultmann*, Glauben und Verstehen 1, 253 f.

[37] Glauben und Verstehen, 2, 1952, 251. Vgl. dagegen den erbitterten und zugleich sachkundigen Protest gegen die spekulativen Thesen der religionsgeschichtlichen Schule bei *K. Holl*, Urchristentum und Religionsgeschichte, in: Gesammelte Aufsätze zur Kirchengeschichte, Bd. II, 1928, 1—32, besonders S. 18 ff. zu Paulus.

Führung von Judenchristen wie Barnabas oder dem ehemaligen Schriftgelehrten und Pharisäer Paulus wirklich eine „akute Hellenisierung", exakter *eine synkretistische Paganisierung des Urchristentums* ereignet haben, und zwar entweder in Palästina selbst oder aber im benachbarten Syrien, etwa in Damaskus oder Antiochien. Die Kritik des jüdischen Religionsphilosophen H. J. Schoeps an der Christologie des Paulus wäre dann voll und ganz berechtigt. Daß diese historisch höchst außergewöhnliche Entwicklung zur Verkündigung Jesu in einem radikalen, unvereinbaren Widerspruch stehen würde, ist einleuchtend. Man müßte sich dann im Grunde zwischen Jesus und Paulus entscheiden.

Wenn wir im folgenden versuchen, die Herausbildung des Sohn-Gottes-Titels zu erhellen, und dabei von Paulus aus nach den Ursprüngen des christlichen Glaubens zurückfragen, so wollen wir dabei prüfen, ob sich wirklich in der Entstehung der Christologie ein mehrfacher grundsätzlicher Bruch auf dem Wege von Jesus zu Paulus ereignet hat oder ob hier nicht eher — zumindest seit dem Tod Jesu bzw. seit dem Osterereignis — ein innerer Duktus des christologischen Denkens sichtbar wird, der — im Gegensatz zur These von Herbert Braun — die Christologie gerade nicht als die beliebige „Variable", *sondern als die konsequente „Konstante"* erweist[38].

---

[38] *H. Braun*, Gesammelte Studien zum Neuen Testament und seiner Umwelt, 2. A. 1967, 272. Vgl. schon den Protest von *E. Käsemann*, Exegetische Versuche und Besinnungen, 2. Bd., 1964, 44.

# 5. DIE WORTBEDEUTUNG
## UND DIE RELIGIONSGESCHICHTE

Versuchen wir zunächst — in der gebotenen Kürze — die philologische und religionsgeschichtliche Bedeutung der Begriffsbestimmung „Sohn Gottes" im semitischen und griechischen Bereich zu erfassen[39]. Das griechische „hyios" beschränkt sich in seiner Bedeutung fast ganz auf die physische Abstammung, eine übertragene Bedeutung erscheint nur am Rande. Weiter ist sein Gebrauch dadurch begrenzt, daß es sehr häufig durch den „umfassendere(n) Ausdruck" „pais" bzw. „paides", der kleine Sohn, Kinder, ersetzt wird[40].

### 5.1 Das Alte Testament

Ganz anders das hebräische „ben" (aramäisch bar), die „mit etwa 4850 Vorkommen ... im AT am häufigsten

---

[39] Vgl. zum Folgenden *W. v. Martitz/G. Fohrer*, Artk. υἱός, ThW VIII, 1969, 335 ff. 340 ff. Die Studie von *Petr Pokorný*, Der Gottessohn, ThSt 109, 1971, als Vorarbeit zu einem Artikel im RAC ist dagegen leider wenig hilfreich. Zum A. T. s. noch *J. Kühlewein* in: *E. Jenni/C. Westermann*, Theologisches Handwörterbuch zum A. T., Bd. 1, 1971, 316—325; *W. Schlißke*, Gottessöhne und Gottessohn im A. T., BWANT 97, 1973.

[40] *W. v. Martitz*, op. cit. 335, 35.

gebrauchte Verwandtschaftsbezeichnung"[41]. Es bezeichnet
im Gegensatz zu „hyios" nicht nur bzw. nicht nur primär
leibliche Nachkommen und Verwandte, sondern ist ein
weit gefächerter *Zuordnungsbegriff*, der jüngere Gefährten, Schüler und Gruppenmitglieder, die Zugehörigkeit zu
einem Volk, einem Beruf oder einer Eigenschaft bezeichnen konnte. In diesem erweiterten Sinne wurde es im
AT in vielseitiger Weise auch als *Ausdruck der Zugehörigkeit zu Gott* verwendet. Hier wären zunächst die
*Glieder des himmlischen Hofstaats*, die Engel, zu nennen,
die im AT mehrfach „Göttersöhne" genannt werden. Mag
es sich hier auch ursprünglich um depotenzierte Götter
des kanaanäischen Pantheons handeln, so ist doch in den
alttestamentlichen Texten davon kaum mehr etwas zu
spüren, sie sind als die Geschöpfe Jahwes diesem völlig
untergeordnet[42]. In dem der neutestamentlichen Zeit
nahen Danielbuch 3,25 sieht Nebukadnezar neben drei
jüdischen Bekennern im Feuerofen noch eine vierte Gestalt, „deren Aussehen einem Gottessohn gleicht"[43]. Seit
Hippolyt wurde diese Stelle von den Kirchenvätern auf
Christus gedeutet[44], während ein Rabbi des 4. Jahrhunderts in antichristlicher Tendenz betonte, Gott habe den

---

[41] *G. Fohrer*, op. cit. 340, 16 f.

[42] Op. cit. 347 ff.: Gen 6,2.4; Hi 1,6; 38,7; 2,1; Ps 29,1; 89,7
vgl. Ps 82,6 und Dt 32,8 f. (LXX und 4 QDt⁹). Vgl. auch *W.
Schließke*, op. cit. 15 ff.: Am interessantesten sind die kana-
anäisch-ugaritischen Parallelen.

[43] dāmeh lᵉbar-ʾälāhîn. Theodotion: ὁμοία υἱῷ θεοῦ. LXX:
ὁμοίωμα ἀγγέλου θεοῦ. Die Aussage steht in eigenartigem
Kontrast zu 7,13: kᵉbar ʾänāš.

[44] *A. Bentzen*, Daniel, HAT I, 19, 2. A. 1952, 37.

König für diese Lästerung einem Satansengel übergeben, der ihn zu schlagen begann, denn in Wirklichkeit werde in 3,28 auf einen Engel hingewiesen[45].

In besonderer Weise wird *Gottes Volk,* Israel, als „Söhne" oder auch als „Sohn Gottes" angesprochen, denn es ist von Gott erwählt und Gegenstand seiner Fürsorge und Liebe: „Sage auch dem Pharao: So spricht Jahwe: Mein erstgeborener Sohn ist Israel. Ich befehle dir: Laß meinen Sohn ziehen, daß er mir diene! Weigerst du dich aber . . ., so werde ich deinen erstgeborenen Sohn töten!" (Ex 4,22 f.)[46]. Schließlich konnte auch *der davidische König* im Anschluß an ägyptische Vorbilder „Sohn Gottes" genannt werden. Es kam darin die göttliche Legitimierung des Herrschers zum Ausdruck. Die Deutung des Verhältnisses von Gott und König als Vater und Sohn erscheint schon im Nathansorakel 2.Sam 7,12—14, es wird in Ps 89,4 ff. und 1.Chr 17,13; 22,10 und 28,6[47]

---

[45] Ex. R. 20,10 nach R. Berekhja um 340 n. Chr. s. *Billerbeck* I, 139. Weitere Beispiele rabbinischer Polemik gegen den Gebrauch der Bezeichnung „Sohn Gottes" für Engel s. bei P. S. *Alexander,* The Targumin and Early Exegesis of the ‚Sons of God' in Genesis 6, JJSt 23 (1972), 60—71. R. Schimeon b. Jochai verfluchte alle, die die Engel „Gottessöhne" nannten: Gen. R. 26,5 (s. ebd. S. 61).

[46] Vgl. Jer 31,9.20; Hos 11,1. Gott als Vater Israels: Dt 32,6.18; Jer 3,4; die Gesamtheit der Israeliten als Söhne (u. Töchter) Jahwes: Dt 14,1; 32,5.19; Jes 43,6; 45,11; Hos 2,1 u. ö.; s. dazu G. *Fohrer,* op. cit. 352 ff.; W. *Schlißke,* op. cit. 116—172.

[47] Zum ägyptisch-orientalischen Hintergrund s. H. *Brunner,* Die Geburt des Gottkönigs, 1964; K. H. *Bernhardt,* Das Problem der altorientalischen Königsideologie im A. T., VT Suppl.

aufgenommen und weitergeführt. Auch Jes. 9,5 gehört
in diesen Zusammenhang. Aus dem judäischen Königs-
ritual stammt wohl Ps 2,7: „Er (Jahwe) hat zu mir gesagt: Mein Sohn bist du, heute habe ich dich gezeugt!"
Man hat in der Forschung mit Recht betont, daß das
„heute" alle physischen Zeugungsvorstellungen aus-
schließt[48]; H. Gese hat präzisierend dazu hervorgehoben,
daß das „mein Sohn bist du" eine realitätserfüllte Heils-
zusage darstellt, die durch den Nachsatz, „heute habe ich
dich gezeugt", noch verstärkt wird. „Die Gottessohnschaft
der Davididen ist nicht ausländische Mythologie, sondern
die familienrechtliche israelitische Konzeption des Verhältnisses zum näḫᵉlā-Herrn." „Entsprechend Ps 2,7 und
110,3 wird ... die Inthronisation des davidischen Königs
auf dem Zion als Geburt und Erschaffung durch Gott
verstanden"[49]. Die juridischen Begriffe der Adoption und

---

[48] 8, 1961; G. W. *Ahlström,* Psalm 89. Eine Liturgie aus dem
Ritual des leidenden Königs, Lund 1959, 111 ff.; zu 2.Sam
7,14 ff. 182 ff.; *ders.* VT 11 (1961), 113 ff.; *H. Gese,* Der
Davidsbund und die Zionserwählung, ZThK 61 (1964), 10 bis
26 = Vom Sinai zum Zion, BevTh 64, 1974, 113—129;
*K. Seybold,* Das davidische Königtum im Zeugnis der Prophe-
ten, FRLANT 107, 1972, 26 ff.; *W. Schlißke,* op. cit. 78—115.

[48] *G. Fohrer,* op. cit. 351 f.: Dem „Jerusalemer Ritual" liegt
ein ägyptisches zugrunde. „Dabei ist die ägyptische Vorstellung
von der physischen in diejenige von einer rechtlich begründeten
Sohnschaft abgewandelt worden" (352, 11 ff.). Es fragt sich,
ob man dem Akt der Erwählung und Neuschöpfung mit der
bloßen Alternative „physisch-rechtlich" wirklich gerecht wird!

[49] Natus ex virgine, in: Probleme biblischer Theologie. Ger-
hard v. Rad zum 70. Geburtstag, 1971, 82 = Vom Sinai zum
Zion 139. Zu Ps 110,3 s. 81 = 138: Der Text bedeutete wohl

Legitimation sind kaum zureichend, dieses Geschehen sachgemäß zu umschreiben. Es ist gewiß kein Zufall, daß Ps 2 und 110 die wichtigsten Säulen für den christologischen Schriftbeweis der Urkirche werden.

### 5.2 Die griechisch-hellenistischen Parallelen

Die Entfaltungsmöglichkeiten der alttestamentlichen „Sohn-Gottes-Aussagen" erscheinen so als erstaunlich vielfältig. Von den angeblichen griechisch-hellenistischen Parallelen kann man das weniger sagen. Gewiß hat der zeugungsfreudige *Zeus* als „πατὴρ ἀνδρῶν τε θεῶν τε"[50] unzählige göttliche, halbgöttliche und menschlich-sterbliche Sprößlinge hervorgebracht, aber von diesen παῖδες Διός der hellenischen Naturreligion führt keine Brücke zu dem urchristlichen Bekenntnis von dem *einen* Sohn des *einen* Gottes. Und wer in aufgeklärter Weise mit den Stoikern bekannte, daß alle Menschen von Natur Kinder des Zeus seien, weil sie durch ihre Vernunft seinen Sa-

---

ursprünglich: „Auf heiligem Bergland aus dem Mutterleib, aus der Morgenröte habe ich dich geboren." Das „heilige Bergland" entspricht dem Zion, die „Morgenröte des neuen Tages (ist) das Pendant zu dem ‚heute' von Ps 2,7". Vgl. *W. Schlißke* 100 ff.

[50] Il. 1,544; Od. 1,28; 20,201 u. ö. Von den ca. 300 Stellen bei Homer, in denen Zeus ein Epitheton hat, finden wir ca. 100mal πατήρ: s. *M. P. Nilsson*, Vater Zeus, in: Opuscula selecta, Bd. 2, 710 ff.; *ders.*, Geschichte der griechischen Religion, Bd. I, 3. A. 1967, 336 f. Vgl. *G. M. Calhoun*, Zeus the Father in Homer, TPAPA 66 (1935) 1—12 und Il. 14, 315 ff., die Liebschaften des Zeus.

men in sich trügen, brauchte keinen „Gottessohn" als
Mittler und Erlöser mehr. Hier konnte das Motto nur
lauten: Werde, was du bereits bist![51] Wenn Lukas den
Paulus auf dem Areopag den berühmten Vers des Aratos
zitieren läßt: „Wir sind seines Geschlechts" (Apg 17,28)[52],
so tut er es in einer bewunderungswürdigen Inkon-
sequenz.

---

[51] *W. v. Martitz*, op. cit. 337: Die Gotteskindschaft wird
schon von Chrysipp und Kleanthes angedeutet, Gottessohnschaft erscheint expressis verbis vor allem bei Epiktet: Diss.
I, 3, 2; 13, 3; 19, 9; II, 16, 44 (Herakles) vgl. 8, 11; III, 22,
82; 24, 15 f. Stoisch beeinflußt ist wohl auch der Sprachgebrauch von „Sohn Gottes" in den christlich-pythagoreischen
Sprüchen des Sextus: s. *H. Chadwick*, The Sentences of
Sextus, Cambridge 1959, Nr. 58. 60. 135. 221 (Lat.). 376b:
„Gottes Sohn" ist der Weise und damit „Gott-Ähnliche" (18 f.
45.48—50.381 s. S. 106). Vgl. *G. Delling*, Zur Hellenisierung
des Christentums in den ‚Sprüchen des Sextus', in: Studien zum
N. T. und zur Patristik. E. Klostermann zum 90. Geburtstag
dargebracht, TU 77, 1961, 208—241, bes. 210 f. Stark wird
die Gottesverwandtschaft, ja Gotteskindschaft, auch in der
olympischen Rede des Dio Chrysostomos von Prusa betont
(Or. 12, 27—34. 42. 61 u. ö.). *M. Pohlenz*, Stoa und Stoiker,
1950, 341 f. 382 vermutet eine Abhängigkeit von Poseidonios.
Vgl. vor allem Dio Chrys. 12,28 mit Apg 17,27 und s. dazu
*K. Reinhardt*, PW XXII, 812 f. In der Rede „Über das Gesetz" wird dieses in Anspielung auf Herakles — ὁ τοῦ Διὸς
ὄντως υἱός — „von unüberwindbarer... Macht" genannt (c. 8).
[52] Das Aratzitat erscheint schon bei dem frühesten faßbaren
jüdischen „Religionsphilosophen" Aristobul um die Mitte des
2. Jhdts. v. Chr. s. *M. Hengel*, Judentum und Hellenismus,
WUNT 10, 2. A. 1973, 299 f. nach Euseb pr. ev. 13, 12, 5 f.

## 5.2.1 Mysterien, sterbende und auferstehende Göttersöhne und der Herrscherkult

Die ständig wiederholte Meinung, die Entwicklung der Sohn-Gottes-Christologie sei ein typisch hellenistisches Phänomen und bedeute einen Bruch im Urchristentum, hält näherer Nachprüfung kaum stand. So kannten die hellenistischen Mysterien weder sterbende und wiederauferstehende Göttersöhne, noch wurde der Myste selbst zum Kind des Mysteriengottes[53]. Sterbende Vegetationsgötter wie der phönizische Adonis, der phrygische Attis oder der ägyptische Osiris hatten keine Gottessohnfunktion. Man betrachtete sie in der Spätantike häufig als Menschen der mythischen Urzeit, denen — ähnlich wie Herakles — nach ihrem Tode Unsterblichkeit geschenkt wurde. Unter allen „Zeussöhnen" der griechischen Religion könn-

---

[53] *M. P. Nilsson,* Geschichte II, 1961², 688 f.: „Im Christentum ist die Bezeichnung der Gläubigen als Kinder Gottes häufig, dagegen kommt es m. W. nie vor, daß ein in irgendwelche Mysterien Eingeweihter als Kind des Mysteriengottes bezeichnet wird ... Obgleich die Mythologie eine große Zahl von Götterkindern kannte, müssen Umwege eingeschlagen werden, um die Vorstellung von der Gotteskindschaft in den Mysterien wahrscheinlich zu machen ... Es ist die große Tat des Christentums, daß es die Vaterschaft Gottes in diesem Sinn [d. h. der vertrauensvollen Liebe] aufgefaßt und dadurch die Gotteskindschaft des Menschen zu einem Kernstück seines Glaubens gemacht hat." Die von *R. Merkelbach,* ZPapEp 11 (1973) 97 angeführten angeblichen Belege, daß der Mensch in „den Mysterien erfuhr..., daß er in Wahrheit von Gott oder von einem ‚König' abstammte", gehen dagegen völlig an der Sache vorbei. So ist z. B. Heliodor 2, 31, 2 lediglich ein verbreitetes Märchen- und Komödienmotiv.

te man am ehesten noch bei *Herakles* Analogien zu christologischen Vorstellungen finden, aber eben dieser wurde nie
Mysteriengott, sondern hatte nur starken Einfluß als Vorbild auf den Herrscherkult, d. h. die politische Religion,
und auf die Religiosität der Popularphilosophie. Auch
dort, wo er, wie z. B. in den Herakles-Dramen (Ps.-)
Senecas, als Heilbringer, „pacator orbis" (Her. oet. 1990),
ja als Todesüberwinder dargestellt wird, handelt es sich
im Grunde nur um die poetische Entfaltung des wahren,
schlechterdings vorbildlichen Herrschers und des Weisen.
Er „hat den Himmel durch seine Ruhmestaten verdient",
darum kann er von seinem Vater „die Welt" fordern
(Her. oet. 97 f.). Sein Sieg über Tod und Chaos (Her.
fur. 889 ff.; Her. oet. 1947 ff.) bildet nur den Sieg des
Logos, der göttlichen Vernunft, über alle vernunftwidri-
gen Mächte ab. Für ihn gilt: virtus in astra tendit, in
mortem timor (1971)[54]. Erst recht hat der Zagreusmythos,

---

[54] *G. Wagner,* Das religionsgeschichtliche Problem von Rö
6,1—11, AThANT 39, 1962, 180 ff. zu Adonis, 124 ff. zu
Osiris und 219 ff. zu Attis. Adonis war überhaupt kein Mysteriengott, auch war er so wenig wie Attis eine Heilsgottheit.
Osiris und seine erst durch Apuleius bezeugten Mysterien standen ganz im Schatten der Isis, die Osirisweihe war ein Appen-
dix zur Isisweihe und nicht zuletzt pekuniär motiviert: Apuleius, met 11, 27 ff.; vgl. den Betrug der Isispriester in Rom
Jos. Ant. 18, 65 ff. Der Begriff der „sterbenden und auferste-
henden Götter" wird heute zusehends mehr in Frage gestellt
s. *C. Colpe,* Zur mythologischen Struktur der Adonis-, Attis-
und Osirisüberlieferungen, in lišān mitḫurti, Festschrift W.
Frh. v. Soden, AOAT 1, 1969, 28—33 u. *W. Schottroff,* ZDPV
89 (1973) 99—104, besonders 103 f. Zur Funktion von Adonis,
Osiris und Attis in hellenistischer Zeit s. auch *A. D. Nock,*

in dem das Dionysoskind von den Titanen zerrissen, ver-
zehrt und von Zeus wunderbar zu neuem Leben ge-

---

Essays on Religion and the Ancient World, Oxford 1972, I,
83: „Attis, Adonis, Osiris die, are mourned for, and return
to life. Yet it is nowhere said that *soteria* comes by their
death." Keiner der sterbenden Vegetationsgötter ist „für"
andere Menschen gestorben. II, 934: „As for the ‚dying gods',
Attis, Adonis and Osiris, it is to be remembered that, on the
traditional stories, they, like most of the deities of popular
religion, were deemed to have been born on this earth and to
have commenced their existence at that point in time; they
might descend into death, but they had not descended into
life." D. h., es fehlt das entscheidende Sendungsmotiv! Auch
bei Herakles fehlen wieder gerade Präexistenz und Sendung.
Sein Tod und seine Apotheose haben nur bedingte Heilsbedeutung für die Menschheit. Seine Apotheose ist die Beloh-
nung für seine ureigene übermenschliche Arete. Soter und
Euergetes ist er darum im Sinne der typisch hellenistischen
politischen Religion seit Alexander, als Vernichter der Übel-
täter und Bringer des politischen Friedens. Der Herrscher wie
der stoische Weise müssen ihn durch ihre eigenen Taten nach-
ahmen bzw. seine wiederholen, d. h. sich das Heil durch ihre
— dem großen Vorbild „entsprechende" — eigene Arete selbst
verschaffen. Für Epiktet ist er das Symbol dafür, daß alle
vernunftbegabten Menschen Söhne des Zeus sind (diss. 2,16,44;
3,24,16 vgl. auch sein Vorbild als Sohn des Zeus 3,26,31). Er
wird „als der beste aller Menschen, göttlicher Mensch, ja wirklich als Gott betrachtet", weil er in völliger Armut „Erde und
Meer beherrschte", „enthaltsam und standhaft war, herrschen,
aber nicht schwelgen wollte": (Ps.) Lukian, Cyn. 13. D. h.
seine Gottheit bzw. Sohnschaft besteht allein in der Verwirk-
lichung seiner Arete (Cornutus 31, Max. Tyr. 15,6,2). Die
Orientalisierung des Herakles der Senecadramen bei *J. Kroll,*
Gott und Hölle, 1932 Nachdr. 1963, 399—447 geht m. E. viel
zu weit. Völlig unsinnig ist es, wenn *W. Grundmann,* ZNW 38

setzt wird[55], mit urchristlichem Denken herzlich wenig
zu tun. Weiter ist zu bedenken, daß wir ausführlichere
Nachrichten über die eigentlichen „orientalischen" My-

---

(1939), 65 ff. auf Grund der Begriffe „Archegos" und „Soter"
in Apg 3,15; 4,12; 5,31 den Hellenisten von Apg 6,1 eine
„Herakleschristologie" unterschieben will. Seine Rolle als „guter Hausgeist" bzw. „Übelabwender" im antiken Volksglau-
ben berührt die Christologie sowenig wie seine Identifikation
mit dem tyrischen Melkart. Bestenfalls könnte man auf analoge, für die antike Welt allgemein typische Denk- und Vor-
stellungsstrukturen hinweisen s. etwa *C. Schneider*, Geistes-
geschichte des antiken Christentums, 1954, I, 53 f. 57; *H.
Braun*, Gesammelte Studien . . ., 256 ff.; *M. Simon*, Hercule
et le christianisme, Paris 1955. Freilich würden bei einem
Strukturvergleich gerade auch die grundlegenden Unterschiede
herauskommen, die bei den religionsgeschichtlichen Vergleichen
(etwa in der gar zu einfachen Zitatensammlung von Herbert
Braun) in der Regel übergangen werden. Vgl. dagegen *E. Käsemann*, Das wandernde Gottesvolk, FRLANT 37, 1939, 65
(gegen H. Windisch): „doch verfehlt man den wirklichen
Sachverhalt, wo etwa Herakles als Beispiel herangezogen oder
von einer Adoptionschristologie gesprochen wird."
[55] S. dazu *W. Fauth*, PW 2. R. Bd. IX,2, 2221—2283 vgl.
besonders 2279 f. zum angeblichen Einfluß auf das frühe
Christentum. Der Dionysos-Zagreus-Mythos spielte vor allem
für die orphisch-dualistischen Spekulationen eine entscheidende
Rolle (vgl. *O. Schütz*, RhMus 87 [1938] 251 ff.), die dionysischen Mysterien der Kaiserzeit scheinen von ihm weniger beeinflußt gewesen zu sein. *W. Heitmüller*, RGG 1. A. 1, 20 ff.
verweist beim Abendmahl gleichzeitig auf die Passa-Ätiologie
Ex 12 und den Zagreus-Mythos, ein Beispiel für unkritische
freie Assoziation. Vgl. auch *M. P. Nilsson*, op. cit., II, 364 ff.
u. *A. D. Nock*, op. cit. II, 795 f. Viel zu weit geht *A. Hen-
richs*, Die Phoinikika des Lollianos, 1972, 56—73.

steriengötter bzw. ihre Mysterienkulte erst ab dem 2. und
3. Jh. n. Chr. besitzen. Die Mysterien sind ja ursprünglich eine typisch griechische Form der Religiosität, die in
hellenistischer Zeit erst in die unterworfenen orientalischen Gebiete „exportiert" werden mußte. Die neuesten
Untersuchungen über die gerade im griechischsprechenden
Osten wichtigste orientalische „Mysterienreligion", den
Isiskult, von F. Dunand, Le culte d'Isis dans le bassin
oriental de la Méditerranée (ÉPROER 26, 1973 Bd.
I—III) und L. Vidman, Isis und Sarapis bei den Griechen
und Römern (RVV 29, 1970), sagen das längst Bekannte,
präzisiert durch eine Fülle von Belegen, in wünschenswer-
ter Klarheit, und man möchte wünschen, daß es auch in
der neutestamentlichen Exegese endlich zur Kenntnis ge-
nommen wird, damit die abgegriffenen Klischees von der
angeblich massiven Abhängigkeit des frühesten Christentums zwischen 30 und 50 n. Chr. von den „Mysterien"
einer sachgemäßeren und abgewogeneren Beurteilung
Platz machen: „Die große Woge der orientalischen Mysterienreligionen beginnt aber erst in der Kaiserzeit, vor
allem im II. Jahrhundert, wie wir schon mehrmals hervorgehoben haben. In diesem Jahrhundert beginnen auch
der Kampf und zugleich die ersten Anläufe zu einem Syn-
kretismus der mächtigsten orientalischen Kulte" (Vidman
138). Das im 2. Jh. n. Chr. schon recht verbreitete und ge-
festigte Christentum war zwar schärfster Konkurrent,
aber kaum mehr Objekt synkretistischer Überfremdung.
Die synkretistische Gnosis hat es gerade in dieser Zeit
in erbitterten Kämpfen abgestoßen. Auf die Frühzeit darf aus jener Epoche kaum zurückgeschlossen wer-

den. Man kann darum die Verhältnisse, die Apuleius oder auch die christlichen Väter ab dem 2. Jh. n. Chr., wie Justin, Clemens Alexandrinus und Tertullian, schildern, nicht einfach auf die uns vor allem interessierende Zeit zwischen 30 und 50 n. Chr. übertragen. Erst recht wissen wir über die Verbreitung von Mysterienkulten im Syrien der 1. Hälfte des 1. Jhdts. n. Chr. nahezu nichts. Es gibt keinerlei Beweise dafür, daß sie dort um diese frühe Zeit besonders verbreitet waren und starken religiösen Einfluß besaßen. Man sollte umgekehrt bei den späteren Mysterienbelegen aus dem 3. u. 4. Jh. n. Chr. eher mit christlicher Beeinflussung rechnen. Schließlich muß man zwischen den *wirklichen Kulten* und einer verbreiteten *„Mysteriensprache"* unterscheiden. Letztere leitet sich zwar aus der religiösen Terminologie der spezifisch griechischen Mysterien von Eleusis und des Dionysos her, hatte sich aber schon längst völlig verselbständigt. Sie wurde — wie das Beispiel des Artapanos, der Sapientia Salomonis und Philos zeigt — auch von der Diasporasynagoge übernommen. Ihr Nachweis im NT bedeutet noch keine unmittelbare Abhängigkeit von den eigentlichen Mysterienkulten. Wenn z. B. R. Bultmann in seiner Theologie des Neuen Testaments die Abhängigkeit des Paulus von „gnostischen Gemeinden" postuliert, „die als Mysteriengemeinden organisiert waren, und in denen etwa die Gestalt des gnostischen Erlösers mit dem Mysteriengott Attis zusammengeflossen war", so handelt es sich hier um eine phantastische Konstruktion, die den religionsgeschichtlichen Hintergrund der frühen syrischen Gemeinden nicht erhellt, sondern verdunkelt. Dagegen scheinen die griechischen Ko-

rinther die Botschaft des Paulus im Sinne der ihnen wohl-
vertrauten ekstatischen dionysischen Mysterien mißver-
standen zu haben[56]. Darüber hinaus wird in der helleni-

---

[56] Vgl. *R. Bultmann,* Theologie 298, ähnlich 170 f. Schon
*K. Holl,* Ges. Aufs. II, 7 verwies auf die chronologische
Frage: „daß *sichere* (Sperrung vom Vf.) Zeugnisse für den
großen · Aufschwung des Mysterienwesens uns erst aus dem
zweiten Jahrhundert n. Chr. vorliegen." Der von ihm erwähnte Mithraskult aus dem ptolemäischen Ägypten des 3.
Jhdts. v. Chr. ist ein Überbleibsel aus der Perserherrschaft und
hat mit den späteren Mysterien nichts zu tun vgl. *Nilsson,*
op. cit. 2, 36 A. 2; 669 A. 9. Zu der Entstehung der Mithras-
mysterien und ihrer Behandlung bei Justin und Tertullian s.
jetzt *C. Colpe,* in: Romanitas et Christianitas, Studia I. H.
Waszink, Amsterdam/London 1973, 29—43 bes. 37 A. 1. Zum
Problem der Mysteriensprache s. *A. D. Nock,* op. cit. 2, 796 ff.:
„The terminology, as also the fact, of mystery and initiation
acquired a generic quality and an almost universal appeal"
(798). D. h. der Gebrauch der Mysteriensprache bedeutet keine
direkte Abhängigkeit von konkreten „Mysterien" mehr. Auch
das Judentum blieb davon nicht unbeeinflußt s. 801 ff.: Philo
„refers to pagan cult-mysteries with abhorrence but finds the
philosophic metaphor of initiation congenial" (802). Ähnlich
I, 459 ff.: The Question of Jewish Mysteries, und die damit
verbundene Auseinandersetzung mit den Thesen von Goodenough: „The metaphor of initiation was by its philosophic
usage redeemed from any undue association with idolatry; it
was particularly appropriate, inasmuch as it expressed the
passive and receptive attitude of mind which Philo held to
be necessary." (468) Dies gilt erst recht, wenn man dem Urchristentum oder Paulus eine „Abhängigkeit" von den hellenistischen Mysterien nachsagt. Abhängig sind sie in Wirklichkeit von der griechischsprechenden Synagoge, die die religiöse
Koine ihrer Umwelt teilweise verwendete. Vgl. *A. D. Nocks*

stischen Welt die Bezeichnung υἱὸς θεοῦ, Sohn Gottes, relativ selten und, mit einer Ausnahme, nie titular ge-

Rezension von R. Bultmann, Das Urchristentum, in: Nuntius
No. 5, 1951, 35 ff. und den dortigen Protest gegen dessen Deutung der Mysterien und der Gnosis. Zur Kritik der älteren
auf das N. T. bezogenen Mysterienforschung s. auch *H. Krämer* in: Wort und Dienst, Jb. d. Kirchlichen Hochschule Bethel
N. F. 12 (1973) 91—104. Völlig unwissenschaftlich, aber im
Blick auf die Kenntnis der hellenistischen Umwelt in der deutschen neutestamentlichen Wissenschaft nicht verwunderlich, ist
die jüngste Behauptung von *H.-W. Bartsch,* op. cit. (o. A. 1),
120: *„in den Mysterienkulten, vom Iran her ausgebreitet"*,
(Sperrung von mir) hätte „sich eine Möglichkeit eröffnet, kul-
tisch in ekstatischem Erleben die Erniedrigung zu überwinden
trotz des Fortbestehens des Sklavendaseins". Die hier und
noch mehr S. 26 f. sichtbar werdende Vermengung von Mysterienreligionen und angeblichem vorchristlichem gnostischem
Erlösermythos zeigt, daß der Vf. auch heute noch nicht über
die irreführenden Thesen Reitzensteins hinausgekommen ist.
Schon in klassischer Zeit wurden in den urgriechischen Mysterien von Eleusis Sklaven zur Einweihung zugelassen, während
die wichtigsten Mysterien in hellenistisch-römischer Zeit, die
des Dionysos, vor allem in der Oberschicht zu Hause waren.
Hier spielte traditionell die Ekstase eine Rolle, jedoch nicht die
Sklaven. Die große Inschrift von Tusculum, nach der auch
die Sklaven, soweit sie zur familia der adligen Leiterin Agri-
pinilla gehörten, zugelassen waren, ist eine Ausnahme. Da in
der Kaiserzeit die dionysischen Thiasoi weitgehend zu groß-
bürgerlichen Traditionsvereinen geworden waren (s. z. B. die
Iobakchen in Athen im 2. Jh. n. Chr. Ditt. Syll[3] 1109 Z. 40
bis 46), wo ekstatische Erlebnisse zurücktraten, suchte man
diese in neuen Kulten, wie dem Urchristentum. Die nächste
Parallele zu den Vorgängen in Korinth ist m. E. immer noch
der Bericht des Livius über den Bacchanalienskandal in Rom
186 v. Chr. (39, 85 ff.). Die heidnische Polemik hat die da-

braucht. Diese ist die griechische Übersetzung des divi filius, Sohn des Vergöttlichten, ein Beiname, den sich Augustus bald nach der Ermordung Cäsars zulegte und der auf griechischen Inschriften als θεοῦ υἱός wiedergegeben wird[57]. Aber auch dieser Sprachgebrauch hat sowe-

---

maligen Vorwürfe immer wieder auf die Christen übertragen, vgl. *W. Pöhlmann*, ThLZ 95 (1970) 43, historisch später gewiß zu Unrecht. In den paulinischen Gemeinden muß es jedoch Anhaltspunkte gegeben haben, die auf Grund des ekstatischen Geisterlebnisses und der sehr bewegten Gottesdienste das Mißverständnis einer *mysterienhaften interpretatio graeca* aufkommen ließen. Mit der dualistischen Gnosis hat das alles noch sehr wenig zu tun; s. u. S. 54 A. 66. Zum Ganzen s. *F. Bömer*, Untersuchungen über die Religion der Sklaven in Griechenland und Rom, 3. Teil: Die wichtigsten Kulte der griechischen Welt, AAMz 1961 Nr. 4, 351—396 u. *M. P. Nilsson*, The Dionysiac Mysteries of the Hellenistic and Roman Age, 1957.

[57] Grundsätzlich muß man zwischen den zahlreichen παῖδες oder υἱοὶ Διός und υἱὸς θεοῦ als Titel unterscheiden. Schon aus diesem Grund ist die Zusammenstellung von Parallelen bei *H. Braun*, Ges. Studien 255 ff. sehr fragwürdig. Υἱὸς θεοῦ ist gerade *keine* verbreitete „religiös-orientalische" Titulatur, auf die die „hellenistische Gemeinde" zurückgriff. Zum Herrscherkult s. *P. Pokorný* (o. A. 39), 15 ff.; *W. v. Martitz* (o. A. 39), 336; *F. Taeger*, Charisma, Bd. 2, 1960, 98 und Index 708 s. v. Gottessohnidee. Zum Widerstand bei Augustus, Tiberius u. a. s. dagegen *S. Lösch*, Deitas Jesu und antike Apotheose, 1933, 47 ff. Einzelbelege bei *P. Bureth*, Les Titulatures impériales dans les papyrus, les ostraca et les inscriptions d'Égypte, Bruxelles 1964, 24. 28. Der Titel ist nicht allzu häufig und steht ganz selten allein. Seit Claudius finden wir sehr viel häufiger κύριος. Im Osten hatte diese Sohnes-Terminologie Vorläufer in der Bezeichnung der ptolemäischen Könige als

---

nig wie der seit Claudius häufiger werdende Herrscher-
titel κύριος oder die auf einzelnen Kaiserinschriften er-
scheinenden εὐαγγέλια die Begriffsbildung des jungen, in
Palästina und Syrien sich formenden Urchristentums
ernsthaft beeinflußt[58]. Die offiziell-profane Staatsreligion
war bestenfalls negativer Anstoß, nicht Vorbild. Zu Kon-
flikten kam es erst ein bis zwei Generationen später unter
Nero 64 n. Chr. und Domitian.

### 5.2.2 Göttliche Menschen

Weiter hat der Altphilologe Wülfing von Martitz gezeigt, daß der Titel Sohn Gottes nicht kurzschlüssig mit
dem Typus des sogenannten θεῖος ἀνήρ, des göttlichen
Menschen, verbunden werden darf, zumal es überhaupt
fraglich ist, wie weit man für das 1. Jahrhundert n. Chr.
von einem solchen festen Typus sprechen darf, da die
Quellen, auf die sich Bieler in seinem bekannten Buch be-
ruft[59], fast durchweg aus dem Neuplatonismus und der
kirchlichen Hagiographie stammen[60]. Zwar kennt das

---

„Sohn des Helios" (d. h. des Sonnengottes Re) und Alexanders
d. Gr. als Sohn des Zeus Ammon.

[58] Zum Begriff εὐαγγέλιον s. *P. Stuhlmacher, Das paulinische Evangelium,* I. Vorgeschichte, FRLANT 95, 1968, 196 ff.

[59] *L. Bieler,* ΘΕΙΟΣ ΑΝΗΡ. Das Bild des „göttlichen
Menschen" in Spätantike und Frühchristentum, I/II Wien
1935/36 (Nachdr. Darmstadt 1967).

[60] *W. v. Martitz,* op. cit. 337 f. 339 f.: „θεῖος ἀνήρ ist min-
destens in vorchristlicher Zeit kein feststehender Begriff ...
Daß solche θεῖοι auch nur in der Regel Göttersöhne seien,
läßt sich aus dem Material nicht entnehmen ... Die Verbindung von Gottessohnschaft und Bezeichnung als θεῖος, sofern

Griechentum seit den Heroen des ehernen Zeitalters die physische Abstammung großer Kriegs- und Geistesgrößen von einzelnen Göttern und in Verbindung damit auch wunderbare Geburtsgeschichten, so bei Pythagoras, Platon, Alexander, Augustus, Apollonios von Tyana, aber die für die paulinische Christologie typische Verbindung von Präexistenz und Sendung in die Welt finden wir in diesem Zusammenhang — von ganz wenigen atypischen Ausnahmen, auf die wir nachher zu sprechen kommen, abgesehen — gerade nicht[61]. G. P. Wetter konnte sich darum

---

sie auftritt, ist also akzidentiell. Die Vorstellungswelten vom Gottessohn und vom θεῖος mögen sich berühren; die Terminologie stützt diese Assoziation nicht." Zur berechtigten Kritik an der gerade in der neueren neutestamentlichen Literatur inflationären Verwendung des θεῖος ἀνήρ s. *O. Betz*, The Concept of the So-called ,Divine Man' in Mark's Christology, in: Festschrift Allen P. Wikgren, Suppl. to NovT 33, Leiden 1972, 229—240; *E. Schweizer*, EvTh 33 (1973) 535 f.; *J. Roloff*, ThLZ 98 (1973), 519 und für die Wunderberichte *G. Theißen*, Urchristliche Wundergeschichten, StNT 8, 1974, 262 ff. vgl. 279 ff. Völlig sachgemäß ist die Warnung von *K. Berger*, ZThK 71 (1974), 6: „ein zur Erklärung von Einzelfällen ungeeignetes und im übrigen nur mit allergrößter Vorsicht zu handhabendes Sammelabstraktum."

[61] Dies muß selbst *H. Braun* in seiner bunten Reihe angeblicher Parallelen zur neutestamentlichen Christologie zugeben s. Ges. Studien 258 f. u. A. 47. Die Variationsfähigkeit der verschiedenen Formen göttlicher Abstammung zeigt sich bei dem Religionsstifter Alexander von Abonuteichos im 2. Jh. n. Chr. Er führte den Kult des Schlangengottes Glykon als des neuen Asklepios, Sohn des Apollo und Enkel des Zeus, ein, behauptete von sich selbst die Abstammung von dem göttlichen Wunderarzt Podaleiros, dem Sohn des Asklepios, und

in seinem zwar vielzitierten, aber vermutlich wenig gelesenen Buch „Der Sohn Gottes"[62] im Grunde nur auf christlich beeinflußte Quellen berufen. So vor allem auf jene rätselhaften Bettel- und Wanderpropheten, denen der Platoniker Celsus in der Mitte des 2. Jahrhunderts nach Christus auf seinen Reisen in Phönizien und Palästina begegnet sein will[63]. Sie verkündigten: „Ich bin Gott oder Gottes Sohn (θεοῦ παῖς) oder göttlicher Geist. Ich aber bin gekommen: Denn schon geht die Welt zu-

---

von seiner Tochter, daß er sie mit Selene gezeugt habe. D. h. er machte sich zum Ururenkel des Zeus. Das Thema war unendlich variierbar, mit dem „Sohn Gottes" der Christologie hat es herzlich wenig zu tun (s. Lukian, Alex. 11. 14. 18. 35. 39 f.). Er selbst soll wieder ein Enkelschüler des Apollonius von Tyana gewesen sein und sich weiter als zweiter Pythagoras verstanden haben. Bei der Feier der „Fackel-Mysterien" wurde nicht nur die Geburt des Apollo und seines Sohnes Asklepios, sondern auch die Vereinigung der Mutter des Alexander mit dem Asklepiossohn Podaleiros und die der Göttin Selene mit dem Mysteriengründer selbst als „hieros gamos" dargestellt (38 f.). Sein Haß galt besonders Christen und Epikureern, die für ihn beide „Atheoi" waren (25. 38). Zum Ganzen s. O. *Weinreich*, Ausgewählte Schriften Bd. 1, 1969, 520—551.    [62] FRLANT 26, 1916.

[63] Orig. c. Cels. 7, 9. Vgl. die „Trinität" des Simon Magus nach Hipp. phil. 6, 19 u. Iren. 1, 23,1. Ein Beispiel der unkritischen Ausdeutung dieser vielzitierten Stelle gibt *D. Georgi*, Die Gegner des Paulus im 2. Korintherbrief, WMANT 11, 1964, 118 ff., der sie mit jüdischen Wandermissionaren in Verbindung bringt. O. *Michel*, ThZ 24 (1968) 123 f. weist auf das profetische Auftreten des Josephus vor Vespasian Bell. Jud. 3, 400 hin. Vgl. schon den Beginn der Bakchen des Euripides: Ἥκω Διὸς παῖς.

grunde, und ihr, o Menschen, kommt wegen (eurer) Sünden um!" Der ganze Kontext, wie auch der Einsatz bei der christlichen Trias, Gott, Sohn, Geist, zeigt, daß Celsus in seiner antichristlichen Schmähschrift nicht wirkliche Profeten schildert, sondern die christlichen Missionare samt ihrem Stifter parodiert, um sie als religiöse Betrüger bloßzustellen. Auch wenn spätere christliche Quellen behaupten, einzelne Gestalten wie der Urheber aller Häresien, Simon Magus, oder der rätselhafte Samaritaner Dositheos hätten sich als Sohn Gottes ausgegeben, so handelt es sich hier nicht um historische Nachrichten, sondern um polemische Stilisierung[64]. Aus demselben Grund kann die Didache sagen, der Antichrist höchstpersönlich werde als Sohn Gottes auftreten[65].

### 5.2.3 Der gnostische Erlösermythos

Es bleibt der angebliche *gnostische Mythos von der Sendung des Sohnes Gottes in die Welt.* Hier haben wir ein typisches Beispiel für eine moderne, fast möchte man sagen pseudowissenschaftliche Mythenbildung, die die Grundfrage historischer Forschung, nämlich die Chronologie der Quellen, außer acht läßt oder willkürlich manipuliert. Man sollte doch endlich aufhören, manichäische Texte des 3. Jahrhunderts wie das Perlenlied der Thomasakten als ein Zeugnis angeblich vorchristlicher Gnosis

---

[64] Simon Magus: Ps. Clem. Hom. 18,6.7; Passio Petri et Pauli 26 (Lipsius/Bonnet 1, 142). Dositheos: Orig. c. Cels. 6,11.

[65] 16,4: καὶ τότε φανήσεται ὁ κοσμοπλανὴς ὡς υἱὸς θεοῦ καὶ ποιήσει σημεῖα καὶ τέρατα.

auszugeben und ins 1. Jahrhundert vor Christus zurück-
zudatieren. In Wirklichkeit gibt es keinen in den Quellen
nachweisbaren — chronologisch — vorchristlichen gnostischen Erlösermythos. Dieser Tatbestand darf nicht mit
dem echten Problem einer späteren außerchristlichen
Gnosis, wie sie uns z. T. in den Hermetica und in man-
chen Schriften von Nag Hammadi begegnet, vermengt
werden[66]. Die Gnosis selbst wird als geistige Bewegung

--------

[66] Dieses Hypothesengebäude zum Einsturz gebracht zu
haben ist das Verdienst von *C. Colpe,* Die religionsgeschichtliche Schule, FRLANT 78, 1961. Typische Beispiele für eine
unhistorisch-spekulative Gnosisforschung sind *A. Adam,* Die
Psalmen des Thomas und das Perlenlied als Zeugnisse vorchristlicher Gnosis, BZNW 24, 1959, und *W. Schmithals,* Die
Gnosis in Korinth, FRLANT 66, 1956 (3. A. 1969). Dessen
Reaktion auf die Arbeit von *C. Colpe,* ab der 2. A. 1965,
s. S. 32—80, zeigt bewundernswerte Unbeirrbarkeit. Daß das
vielzitierte Perlenlied der Thomasakten sicherlich nicht als
Zeuge für einen vorchristlichen Erlösermythos verwendet werden darf, hat *J.-E. Ménard,* Revue des Sciences Religieuses 42
(1968), 289—325 klar nachgewiesen. Die vorliegende Form ist
manichäisch bearbeitet, eine Vorform könnte auf das juden-
christlich beeinflußte syrische Christentum zurückgehen. Es setzt
auf jeden Fall die christliche christologische Tradition voraus.
Zur neuesten, völlig phantastischen Arbeit von *H.-W. Bartsch*
über eine angeblich vorchristliche Gnosis s. o. S. 10 A. 1.
Vgl. dagegen den posthum, gewissermaßen als „Vermächtnis"
*A. D. Nocks* herausgegebenen Artikel „Gnosticism" in:
Essays II, 940—959 = HThR 57 (1964) 255—279, weiter
*R. Bergmeier,* Quellen vorchristlicher Gnosis? in: Tradition und
Glaube, Festgabe für K. G. Kuhn zum 65. Geburtstag, 1971,
200—220, vgl. *ders.,* NovTest 16 (1974), 58 ff. und jetzt die
grundlegenden Untersuchungen von *K. Beyschlag,* Zur Simon-
Magus-Frage, ZThK 68 (1971) 395—426 und *ders.,* Simon

frühestens am Ende des 1. Jahrhunderts nach Christus sichtbar und entfaltet sich voll erst im 2. Jahrhundert. Weder die jüdische Weisheitsspekulation noch Qumran und Philo sollte man als „gnostisch" bezeichnen. Ich kann mich hier auf einen der bedeutendsten Kenner der antiken Religion, A. D. Nock, als Kronzeugen berufen, dessen klares, an den Quellen orientiertes Urteil in Deutschland viel zu wenig beachtet wurde: „Certainly it is an unsound proceeding to take Manichaean and other texts, full of echoes of the New Testament, and reconstruct from them something supposedly lying back of the New Testament."[67] Ohne auf die vielumstrittene Frage der Entstehung der Gnosis weiter einzugehen, möchte ich nur soviel sagen, daß außer dem Zusammentreffen von jüdischer Schöpfungs- und Weisheitsspekulation und Apokalyptik mit einem vulgären dualistischen Platonismus gerade auch das frühe Christentum auslösende Wirkung für die Entstehung der gnostischen Systeme besaß; oder, um es wieder mit A. D. Nock auszudrücken: „It was the emergence of Jesus and of the belief that he was a super-

---

Magus und die christliche Gnosis, WUNT 16, 1974, die den Nachweis führen, daß auch der samaritanische „Magier" Simon nicht als Kronzeuge für eine „vorchristliche Gnosis" beansprucht werden darf. Möchte man hoffen, daß das inzwischen schon abgeklungene „gnostische Fieber" (*G. Friedrich*, MPTh 48 [1959] 502) vollends verschwindet und einer sachgemäßeren Beurteilung der Phänomene Platz macht. Eigenartig ist, wie sehr es noch in der populärtheologischen Literatur, in Pfarrkonventen und Examensarbeiten nachwirkt.

[67] Essays II, 958.

natural being who had appeared on earth which pre-
cipitated elements previously suspended in solution."[68]

Soweit ich sehe, finden sich in der griechisch-römischen
Welt nur ganz wenige — im Grunde entfernte — Parallelen zur Sendung einer präexistenten göttlichen Erlösergestalt in die Welt. Zunächst müssen wir freilich diese
grundsätzlich von der verbreiteten spätantiken Anschauung abgrenzen, daß alle *Seelen* der Menschen vom Himmel in die Welt gesandt werden und auch dorthin zurück-
kehren. Auch die Tatsache, daß diesen Seelen eine irgend-
wie geartete Gottähnlichkeit oder göttlicher Ursprung
nachgesagt werden konnte, muß außer Betracht bleiben[69].

---

[68] Loc. cit. Zum mittelplatonischen Einfluß auf die Gnosis s.
*H. Langerbeck,* Aufsätze zur Gnosis, AAG 3. F. 69, 1967,
17 ff. 38 ff. und *H. J. Krämer,* Der Ursprung der Geist-
metaphysik, Amsterdam 1964, 223 ff.

[69] *A. D. Nock,* Essays, II, 935 f.; vgl. *E. Rohde,* Psyche
2. A. 1898, unv. Nachdruck 1961, II, 165 A. 1; 269 ff.; 304 f.;
324 f. A. 1. Für die Zeit bis Platon s. *D. Roloff,* Gottähnlichkeit, Vergöttlichung und Erhöhung zu seligem Leben, 1970,
192 ff. bei Empedokles, 203 ff. bei Platon. Der orphisch-pytha-
goreische Mythos von der Seelenwanderung begünstigte derartige Anschauungen. Das Eingehen der präexistenten Seele
in den irdischen Leib konnte dabei als schuldhafter Fall
(Empedokles), als Folge schicksalhafter Schwäche (Phaidros
246a 6 ff.), als Verbindung von Wahl und Schicksal (Politeia
617e—621b) oder göttlicher Wille (Tim. 41a 7—44b 7; 90d
1 f.) interpretiert werden. Für die späthellenistisch-römische
Zeit s. *A.-J. Festugière,* La Révélation d'Hermès Trismégiste.
III Les doctrines de l'âme, 1953, 27 ff.; 63 ff.; *M. A. Elfrink,*
La descente de l'âme d'après Macrobe, Philosophia Antiqua
16, 1968. Daß diese Anschauungen populär wurden, zeigen
zahlreiche griechische Grabinschriften vgl. z. B. *W. Peek,* Grie-

Um dieses „ständige Kommen und Gehen" der Seelen, das einer in der Spätantike fast selbstverständlichen Vorstellung entspricht und noch nichts mit der gnostischen Spekulation zu tun hat, geht es gerade nicht, sondern um ein einzigartig-einmaliges Geschehen, das die Geschichte vollendet: „Als die Zeit erfüllt war, sandte Gott seinen Sohn . . .". Das setzt weder den ganz an der Protologie orientierten gnostischen noch den zeitlosen Mythos der griechischen oder orientalischen Naturreligion, sondern jüdisch-apokalyptisches Denken voraus.

---

chische Grabgedichte, 1960, Nr. 353, 2 ff. (1./2. Jh. n. Chr.): „. . . doch sein unsterbliches Herz fuhr auf zu den Seligen, denn die Seele ist ewig, die das Leben gibt und von der Gottheit niederstieg (καὶ θεόφιν κατέβη) . . . der Körper ist nur der Seele Kleid, achte mein göttliches Teil"; 465, 7 ff. (2./3. Jh. n. Chr.): „. . . doch die vom Himmel gekommene Seele ging ein zur der Wohnung der Unsterblichen. Es ruht in der Erde der vergängliche Leib. Doch die Seele, die mir gegeben wurde, wohnt in der himmlischen Heimstatt." Vgl. auch die mehrfach auf den orphischen Goldblättchen erscheinende Antwort auf die Frage: „Wer bist du? Woher kommst du? Ich bin ein Sohn der Erde und des gestirnten Himmels" s. *Kern*, Orph. fragm. S. 105 ff. Nr. 32. Die Vorstellung von der Präexistenz der Seelen wurde auch vom Judentum übernommen: Billerbeck II, 341 ff. Philo kann die Jakobsleiter Gen 28,12 mit auf- und absteigenden Engeln auf das Auf- und Absteigen der Seelen deuten: de somn. 1, 133 ff. *H. Braun*, Ges. Studien, 258 f. A. 46 f. beachtet bei seinen Parallelen über die „Präexistenz" bzw. den „Herabstieg des Gottwesens" die Möglichkeit dieses verbreiteten Topos überhaupt nicht.

## 5.2.4 Die Sendung des Erlösers in die Welt und verwandte Vorstellungen

Versuchen wir, die hellenistischen „Analogien" näher zu betrachten. Zunächst wäre auf die entmythologisierende Deutung der griechischen Götterlehre bei dem Stoiker *Cornutus* zu verweisen: „*Hermes*, Sohn des Zeus und der Maja, ist der Logos, den die Götter aus dem Himmel zu uns gesandt haben." Freilich geht es darin nicht um eine Sendung in die Geschichte, sondern einfach um den mythischen Ausdruck dafür, „daß sie den Menschen als einziges der Lebewesen auf der Erde vernunftbegabt erschaffen haben". Hermes ist „Keryx" und „Angelos" der Götter insoweit, als wir ihren Willen durch die in uns hineingelegten vernünftigen Gedanken erkennen. Als das „Vernunftprinzip" hat er freilich alle persönlichen Züge verloren und ist ähnlich wie die anderen Götter bei Cornutus zum reinen Symbol geworden[70]. Es bestehen vielleicht gewisse Berührungen mit der Rolle der jüdischen Weisheit[71], die Beziehung zur frühen Christologie ist dagegen rein formal; erst mit den Apologeten des 2. Jahrhunderts wird die stoische Logoslehre in das christliche Denken aufgenommen. Der Logos des Johannes-Prologs ist nicht die abstrahierte göttliche „Welt-Vernunft", sondern das schöpferische Offenbarungswort Gottes und als

---

[70] Theol. graec. 16 (Wendland 113) vgl. dazu *E. Schweizer*, Beiträge zur Theologie des Neuen Testaments, 1970, 83 f. = ZNW 57 (1966) 199 f. *A. D. Nock*, Essays, II, 934.

[71] *M. Hengel*, Judentum und Hellenismus. 293 f., vgl. auch u. S. 78 ff. 82 ff.

solches nicht von der Stoa, sondern von der jüdischen Weisheits-Tradition abhängig (s. u. S. 78 ff. 112 ff.).

Drei weitere Beispiele verdanke ich wieder A. D. Nock[72]: Beim ersten handelt es sich um einen späten Text aus den *Hermetica*. Hier werden auf die Bitte der Elemente hin Osiris und Isis vom höchsten Gott in die Welt gesandt, um dem moralischen Chaos zu steuern. Nachdem sie auf der Erde als πρῶτοι εὑρέται, d. h. als Kulturbringer, eine zivilisierte Ordnung geschaffen, werden sie wieder in den Himmel zurückgerufen. Nach Nock ist dies „perhaps a counterblast to Christian teaching, and meant to suggest ‚Our gods had an incarnation long ago, in a manner not repugnant to philosophic reason'"[73].

Das zweite Beispiel bezieht sich auf *Pythagoras*. Er wurde von Anhängern mit dem *Apollo Hyperboreios* identifiziert[74], auch wurde ihm schon sehr früh die Abstammung von Apollo nachgesagt. Die Biographie des *Iamblich* um 300 n. Chr. nennt darüber hinaus verschiedene göttliche Gestalten, als deren irdische Manifestation er betrachtet wurde. Seine Aufgabe war, den Menschen die Segnungen der Philosophie zu bringen. Freilich ist gerade bei ihm der Gedanke der Seelenwanderung von der Vorstellung der Inkarnation eines Gottes schwer zu trennen. Der Religionsgründer *Alexander von Abonutei-*

---

[72] Essays II, 937 f.: Kore Kosmou fr. 23, 62—69 ed. Nock/ Festugière, CH 4, 20 ff. Zu der Osiris-Isis-Aretalogie s. *H. D. Betz,* ZThK 63 (1966) 182 ff.

[73] Essays II, 937 f.

[74] Aristot. fr. 191 p. 154 f. Rose nach Aelian, ver. hist. 4, 17 u. Iamblich, vit. Pyth. 31. 140 ff.; Porphyrios, vita Pyth. 2, 28 (18. 31 f. Nauck); vgl. *F. Taeger,* Charisma I, 73 f.

*chos* betrachtete sich daher als Inkarnation der Seele des
Pythagoras und ließ auf die Frage zweier Anhänger, „ob
er die Seele des Pythagoras ... oder eine andere, ähnliche
habe", seinen Orakelgott Glykon in Hexametern antworten: „Die Seele des Pythagoras schwindet einmal und
wird ein andermal gedeihen; jene (d. h. seine eigene)
aber, profetisch begabt, ist ein Teil göttlichen Geistes, und
der (göttliche) Vater sandte sie als Beistand guter Menschen. Und zu Zeus kehrt sie wieder zurück, vom Blitze
des Zeus getroffen."[75]

Das dritte Beispiel stammt aus der politisch-religiösen
Poesie. In der 2. Ode fragt *Horaz,* wen Jupiter bestim-
men werde, die vergangene Schuld der Ermordung Cäsars
zu sühnen. Nach der Bitte an Apollo, Venus und Mars
erscheint *Octavian* als menschgewordener *Hermes-Merkur,*
um Cäsar zu rächen und wieder in den Himmel zurückzukehren. Gewiß bringt der Dichter in dieser Form po-
litisch-poetischer Schmeichelei nicht mehr zum Ausdruck,
als daß er Augustus als den von den Göttern gesandten

---

[75] Iamblich, vit. Pyth. 30 f.; vgl. dagegen c. 7 f.: Apollo
hat Pythagoras nicht selbst erzeugt, „daß freilich die Seele
des Pythagoras unter der Führung des Apollon stand, sei es
als Begleiterin, sei es sonst in vertrauter Beziehung zu diesem
Gott — und so zu den Menschen herabgesandt war, wird nie-
mand bezweifeln" (Üs. v. M. v. Albrecht). Hier handelt es
sich gegen *H. Braun,* Ges. Studien, 259 A. 47, nicht um Präexistenz u. Herabstieg eines Gottes, sondern um die Sendung
einer Menschenseele. Nach Herakleides Ponticus wurde ihm
die Abstammung von bzw. die Bindung an Hermes nachgesagt
(Diog. Laert. 8,4). Zu Alexander von Abonuteichos s. Lukian
Alex. 40 vgl. jedoch 4: Πυθαγόρᾳ ὅμοιος εἶναι ἠξίου.

Herrscher betrachtet[76], eine Anschauung, die uns auch bei anderen Herrschergestalten — z. B. Alexander —, vor allem aber in den überschwenglichen Kaiserinschriften des griechischsprechenden Ostens begegnet[77].

Auf dem Hintergrund der antiken Herrscherideologie ist wohl auch die Entwicklung der *Romulussage*[78] zu ver-

---

[76] Carmina 1, 2, 29 ff., vgl. dazu *F. Taeger,* Charisma II, 166 f. u. *E. Fraenkel,* Horaz, Darmstadt 1963, 287 ff. Er sieht in der Identifizierung Merkur-Augustus „einen Einfall des Dichters" (294):

> Cui dabit partis scelus expiandi
> Iuppiter? Tandem venias, precamur,
> Nube candentis umeros amictus
> > Augur Apollo...
> Sive mutata iuvenem figura
> Ales in terris imitaris almae
> Filius Maiae, patiens vocari
> > Caesaris ultor:
> Serus in caelum *redeas* diuque
> Laetus intersis popula Quirini
> Neve te nostris vitiis iniquum
> > Ocior aura / Tollat...

[77] Plut. de fort. aut virt. Alex. 6 (329 C): „vielmehr kam er in der Meinung, der von Gott gesandte Statthalter und Versöhner der Welt zu sein." 8 (330 D): „Aber wenn die Gottheit, die Alexanders Seele hierher gesandt hatte, ihn nicht wieder rasch zurückgerufen hätte, dann würde (jetzt) *ein* Gesetz alle Menschen beherrschen und sie würden auf die *eine* Gerechtigkeit als etwas Gemeinsames aufschauen. Jetzt aber ist der Teil der Welt, der Alexander nicht sah, ohne Sonne geblieben." *A. Ehrhardt,* The Framework of the New Testament Stories, 1964, 37 ff. möchte diesen Text zu Unrecht mit Phil 2,6—11 verbinden.

[78] Vgl. *J. B. Carter,* in *W. H. Roscher,* Ausführliches Lexi-

stehen, bei der manche Forscher vor allem in der wunder-
baren Entrückung Parallelen zur neutestamentlichen
Christologie entdecken wollten. Man sah in den Zwillingen
Romulus und Remus Söhne des Mars; während jedoch
Remus von seinem Bruder Romulus getötet wurde, sprach
die Sage jenem, als dem Gründer Roms, eine wunderbare
Entrückung zu, nach einer rationalistischeren Deutung
wurde er dagegen wie Cäsar von den Senatoren ermor-
det. Die fortschreitende Sage verwandelte die Entrückung
in eine Apotheose. Während Ennius[79] noch einen anony-
men Augenzeugen auftreten läßt, wissen Cicero, Livius
und die späteren schon den Namen desselben; weiter be-
richtet man von der Identifizierung des Romulus mit dem
Gott Quirinius. Bei Livius beauftragt der verherrlichte
Romulus den Augenzeugen Proculus Iulius: „‚Melde den
Römern, daß die Himmlischen wollen, daß mein Rom
zum Haupt des Erdkreises werde ... und so mögen sie
den Nachfahren überliefern, daß keine menschlichen An-
strengungen den römischen Waffen widerstehen können.‘
Als er dies gesagt hatte, entfernte er sich in die Himmels-
höhen."[80] Eine gewisse formale Analogie zu den Erschei-

---

kon der griechischen und römischen Mythologie Bd. IV, 1909/
15, 175 ff. 198 ff.; *Rosenberg,* PW 2. R. I, 1920, 1097 ff.

[79] Ann. 1, 110 ff. V. Nach Ann. 1, 65 V. wurde in dem
Götterrat, in dem man die Gründung Roms beschlossen, auch
die Unsterblichkeit des Romulus vorausbestimmt.

[80] Livius 1, 16; dazu Cic. de re pub. 2, 10, 2; Ovid, met.
14, 805 ff. Vgl. dort noch 848 ff. die Himmelfahrt der Ge-
mahlin des Romulus, Hersilia, die zur Göttin Hora wird.
Herr Kollege *Cancik* macht mich darauf aufmerksam, daß
der Titel Augustus an das „augurium augustum" (Enn. ann.

nungsberichten bei Mt und Lk einschließlich der Himmelfahrt ist hier wirklich gegeben. Bei *Plutarch* taucht das
Sendungsmotiv auf: „Es war der Wille der Götter, . . .,
daß ich so lange Zeit bei den Menschen weilen, eine
Stadt, zu größter Macht und zu größtem Ruhm bestimmt,
erbauen und dann wieder den Himmel bewohnen sollte,
aus dem ich kam." Hier könnte man die Sendung einer
präexistenten Gottheit herauslesen. In Wirklichkeit bringt
jedoch Plutarch nur — wie in seiner Alexanderschrift —
seine mittelplatonische Seelenlehre zum Zuge. Denn er
wendet sich ausdrücklich gegen die für ihn primitive Vorstellung einer leiblichen Entrückung und zitiert Pindar:
„Eines jeden Leib folgt dem übergewaltigen Tode, leben-
dig aber bleibt in Ewigkeit sein Urbild, denn das allein
stammt von den Göttern." Er fügt hinzu: „Es kommt
von dort, und dorthin geht es wieder, nicht mit dem Leib,
sondern wenn es sich ganz und gar vom Leib gelöst und
geschieden hat, ganz lauter geworden ist und fleischlos
und rein."[81] Ähnlich wird auch nach Jamblich die Seele
des Pythagoras auf die Erde gesandt.

Derartige Sendungsvorstellungen wird man grundsätzlich von dem Gedanken der *„verborgenen Epiphanie"*
unterscheiden müssen, wie er uns etwa in der Legende von
*Philemon und Baucis* oder bei den Bürgern von Lystra
entgegentritt, die nach einem Heilungswunder des *Barnabas und Paulus* bekennen: „Die Götter haben sich in

---

502 V) der Romulus-Quirinius-Sage anknüpft s. *Carl Koch,*
Religio, 1960, 94—113 (= Das Staatsdenken der Römer,
hrsg. v. R. Klein, 1966, 39—64).
[81] Plutarch, Romulus 28, 2. 7—9.

Menschen verwandelt und sind zu uns herabgestiegen."[82]
Das uralte Motiv des Götterbesuches verborgen in Menschengestalt begegnet uns schon in der Odyssee (17,484 ff.),
wo die Jünglinge einen der Freier schelten, der gegenüber
dem Bettler Odysseus das Gastrecht verletzte:

> „Verwünschter du! Wenn ein Gott es, ein Himmlischer wäre!
> Götter gehn ja doch auch durch die Städte, in manchen
> [Gestalten
> Kommen sie, sehen dann aus, als wären sie Fremde
> [vom Ausland."

Philo verweist auf dieses Beispiel, um die Epiphanien
Gottes bzw. richtiger seiner Mittlergestalten in der Genesis (vgl. Gen 18,1 ff.) zu erklären, wobei er gleichzeitig
betont, daß „Gott nicht wie ein Mensch ist" (Nu 23,19),
keine Gestalt besitzt und darum auch nie einen Körper
annehmen könnte (somn. 1,232 ff.). Bei diesen Beispielen
ist jedoch weder von Sendung die Rede, noch nimmt
ein Gott Menschenschicksal und Tod auf sich. Die Götter
der Griechen werden zwar geboren, vergnügen sich wie

---

[82] Ovid, met. 8, 611 ff.; fasti 5, 495; Apg 14, 11 ff. Vgl.
auch Themistius 7 p. 90 (s. *Wettstein* z. Stelle): „Reine und
göttliche Kräfte betreten zum Wohl der Menschen die Erde,
indem sie vom Himmel herabkommen, nicht in luftiger Gestalt, wie Hesiod behauptet, sondern mit Leibern bekleidet,
die unseren ähnlich sind, und indem sie ein unter ihrer Natur
stehendes Leben auf sich nehmen, um der Gemeinschaft mit
uns willen." Bei diesem platonisierenden Rhetor des 4. Jhdts.
n. Chr. ist jedoch mit Sicherheit christlicher Einfluß anzuneh-
men. Er bemühte sich mit Julian um eine Erneuerung der
heidnischen Religiosität. S. weiter die neuplatonische vit. Soph.
des Eunapios p. 468 mit dem Zitat Od. 17, 485.

Menschen, u. U. auch mit Menschen, sie können aber nicht
sterben. Ihre körperliche Gestalt ist nur „Schein", und erst
recht ihre Unsterblichkeit unterscheidet sie grundsätzlich von den vergänglichen „Sterblichen". *Dem Geheimnis der Entstehung der Christologie kommen wir
mit alledem kaum näher.* Nicht umsonst betont der Christenfeind Celsus immer wieder, daß „weder ein Gott,
noch ein Gottessohn (θεοῦ παῖς) herabgekommen ist noch
herabkommen wird. Wenn ihr aber von Engeln sprecht,
sagt, welcher Art diese sind, Götter oder von einer anderen Art? Gewiß von anderer Art, nämlich Dämonen"[83].

---

[83] Orig. c. Cels. 5,2 vgl. 4,2—23 s. *A. D. Nock*, Essays 2,
933, dort weitere Belege. Dämonen waren im Gegensatz zu
den Göttern teilweise „erdgebunden" (8,60). Die Engel des
Celsus entsprechen den „δυνάμεις" des Themistius. Das „Ärgernis" der Christologie kommt deutlich in der heidnischen
Polemik gegenüber dem sonderbaren — da analogielosen —
„Gott" der Christen zum Ausdruck. S. den heidnischen Gegner bei Minucius Felix, Oct. 10,3: „Unde autem vel quis ille
aut ibi deus unicus solitarius destitutus...?" 10,5: „At autem
Christiani quanta monstra quae portenta confingunt...?"
vgl. 12,4 u. ö. Nach einer Reihe von Porphyrios berichteter
Orakel (erhalten bei Augustin, civ. Dei 19,23) gab Apollo
auf die Frage eines Mannes, wie er seine Frau vom christlichen Glauben abbringen könne, folgende Antwort: „... Sie
fahre fort, nach Belieben in ihrem leeren Wahn zu beharren
und einen toten Gott klagend zu besingen, den ein richtig
erkennendes Gericht verurteilt und ein schlimmer Tod in den
schönsten Jahren, an das Eisen sich heftend, ums Leben gebracht hat." Auffallend ist, daß schon Porphyrios versucht,
den „historischen Jesus" in neuplatonischer Interpretation und
die Torheit seiner Anhänger mit ihren absurden Lehren ge-
geneinander auszuspielen. So soll Hekate auf die Anfrage,

Die Menschwerdung einer göttlichen Gestalt und erst
recht ihr schimpflicher Tod am Fluchholz waren, wie A. D.
Nock zu Recht betont, kein „Anknüpfungspunkt", sondern ein „Skandalon", ein „Stein des Anstoßes". Der
Christenfeind Celsus spottet daher, die Jesus-Verehrung
unterscheide sich in nichts von dem durch Hadrian ange-
ordneten — auch für Heiden anstößigen und verächt-
lichen — Kult seines Lustknaben Antinoos, der im Nil
ertrunken war und den die Ägypter um keinen Preis mit
Apollo oder Zeus gleichsetzen wollten (Or. c. Cels 3,36),
vielmehr nur gezwungen aus Furcht vor dem Kaiser (Justin Apol. 1,29,4) verehrten. Ihn konnte man immerhin
noch wegen seiner unvergleichlichen Schönheit mit Gany-
med vergleichen, den Zeus in den Olymp unter die Göt-

---

ob Christus Gott sei, geantwortet haben: „daß die unsterb-
liche Seele ihren Wandel nicht mit dem des Leibes beschließt,
weißt du ja; aber von der Weisheit losgelöst geht sie immer
irre. Jene Seele gehört einem Manne von ganz hervorragen-
der Frömmigkeit; ihren Verehrern ist die Wahreit fremd."
Auf die weitere Frage: „Warum wurde er dann verurteilt?"
habe die Göttin durch ihr Orakel geantwortet: „Der Leib ist
eben immer(!) aufreibenden Martern preisgegeben; aber die
Seele der Frommen läßt sich auf himmlischem Sitze nieder.
Jedoch diese Seele ward anderen Seelen ... zum Verhängnis,
indem sie sich in Irrtum verstrickten ... Aber er selbst war
fromm und hat sich, wie die Frommen, in den Himmel bege-
ben. Ihn also sollst du nicht verunglimpfen, aber dauern soll
dich die Geistesschwachheit der Menschen; wie leicht und jäh
wurde er ihnen zur Gefahr!" (Üs. n. A. Schröder) Fast möchte
man meinen, daß mancher moderne „christologische" Entwurf
näher bei diesem neuplatonischen Orakel der Hekate steht als
beim Neuen Testament.

ter versetzt hatte (Clem. Al. protr. 49,2), der Gekreuzigte war für einen antiken Menschen von Bildung und
Rang nur Ausdruck der Torheit, Schande und Häßlich-
keit. Seine Verehrung war nach dem Urteil des jüngeren
Plinius eine „superstitio prava immodica" und verdiente
entsprechende Bestrafung (10,96,8). *Die „Hellenisierung"
der Christologie mußte darum zum Doketismus führen:*
Die Menschheit und der Tod Jesu waren nur als „Schein"
erträglich (s. u. S. 136).

### 5.3 Der Sohn Gottes im antiken Judentum

Kehren wir nach diesem im ganzen wenig befriedigen-
den Ergebnis zu den zeitgenössischen jüdischen Quellen
zurück, in denen die traditionellen alttestamentlichen
Vorstellungen von dem Sohn oder den Söhnen Gottes in
vielfältiger Weise weiter entfaltet wurden; wobei freilich
zu beachten ist, daß die religiöse Denkbewegung im Mut-
terland und in der Diaspora seit dem Exil und erst recht
nach Alexander mehr und mehr auf eine Begegnung mit
dem griechischen Geist hinführte. Wir können uns das
religiöse jüdische Denken um die Zeitwende nicht vielseitig genug vorstellen. Die einzigartige intellektuelle, immer
neue Denkanstöße integrierende Begabung des Volkes
wird schon in der Antike sichtbar[84]. Die Quellen für das
frühchristliche Denken sind in erster Linie hier und nicht
unmittelbar im paganen Bereich zu suchen.

---

[84] *M. Hengel,* Judentum und Hellenismus; *ders.,* Anonymi-
tät, Pseudepigraphie und ‚Literarische Fälschung' in der jüdisch-hellenistischen Literatur, in: Pseudepigrapha I, Entre-
tiens sur l'Antiquité Classique XVIII, Genève (1972), 231—329.

## 5.3.1 Weise, Charismatiker und der königliche Messias

Neben der bis in das rabbinische Schrifttum wirksamen kollektiven Bezeichnung Israels als Sohn bzw. Söhne Gottes findet sich in der jüdischen Weisheit die individuelle Anwendung auf den einzelnen *Weisen* und *Gerechten,* die in älteren Texten nur dem davidischen König vorbehalten war.

> „Sei wie ein Vater für die Waisen,
> und die Stelle des Gatten vertritt bei den Witwen,
> dann wird Gott dich Sohn nennen,
> wird sich deiner erbarmen und dich retten vor der Grube."
> (Sir 4,10)

Bezeichnenderweise schwächt der Enkel des Spruchdichters in der griechischen Übersetzung ab und schreibt: „und du wirst *wie* ein Sohn des Höchsten sein" (καὶ ἔσῃ ὡς υἱὸς ὑψίστου). In späteren talmudischen Texten wird schließlich der *charismatische Wundertäter* oder auch *der zu Gott entrückte Mystiker* mehrfach von Gott als „Sohn" bezeichnet oder als „mein Sohn" angeredet[85]. Eine

---

[85] Diese Tatsache wird in der religionsgeschichtlichen Diskussion meist völlig übersehen. S. jedoch D. Flusser, Jesus, rowohlts monographien, 1968, 98 ff.; G. Vermes, Jesus the Jew, 1973, 206 ff. u. JJSt 24 (1973), 53 f. der vor allem auf Chanina b. Dosa als „Sohn Gottes" hinweist: „Jeden Tag ging eine *bat qôl* aus und rief: ‚Die ganze Welt wird um meines Sohnes Chanina willen erhalten; aber mein Sohn Chanina begnügt sich mit einem *qab* Johannisbrot in der Woche'" (Taan. 24b; vgl. Ber. 17b; Chull. 86a). Vgl. Taan. 25a: Gott erscheint dem Eleazar b. Pedath im Traum: „Eleazar, mein Sohn, ist es dir recht, daß ich die ganze Weltschöpfung von neuem beginne...?" Chag. 15b: Gott spricht: „Mein Sohn Meir sagte...". Vgl. auch Midrasch vom Ableben Moses,

weitere Stufe finden wir in der aus der alexandrinischen
Diaspora stammenden *Weisheit Salomos*. Hier wird in
den ersten Kapiteln das Leiden des vorbildlichen Gerechten geschildert, der von den Gottlosen verfolgt, ja getötet
wird:

> „Wenn der Gerechte Sohn Gottes ist, wird er ihm helfen
> und ihn aus der Hand der Widersacher erretten“
>                                    (2,18 vgl. 2,13 u. 2,16).

---

*Jellinek,* Bet ha-Midrasch (Nachdr. Jerusalem 1967) 1, 121
Mitte: „Sofort begann der Heilige . . ., ihn zu besänftigen,
und sprach zu ihm: Mein Sohn Mose . . .“ vgl. auch 119:
„Ich bin Gott und du bist Gott“ (Ex 7,1). Nach Ber. 7a hat
im himmlischen Allerheiligsten der Hohepriester Jischmael
b. Elischa eine Schau Jahwes, der ihn anspricht: „Jischmael,
mein Sohn, segne mich.“ Nach der Legende von den 10 Mär-
tyrern (Jellinek 6,21) wird Jischmael von Metatron, dem
Wesir Gottes, als „mein Sohn“ angeredet. Vermutlich sprach
hier in der Urform Gott selbst, denn in 3.Hen. 1,8 sagt Gott
selbst zu den Engeln: „Meine Diener, meine Seraphim, meine
Kerubim und meine Ophanim: Bedeckt eure Augen vor Jischmael, meinem Sohn, meinem Freund, meinem Geliebten.“ Die
Bezeichnung „mein Sohn“ durch Gott bzw. „Sohn Gottes“ muß
in charismatisch-mystischen Kreisen des palästinischen Judentums eine Rolle gespielt haben. Memar Marqah nennt Mose
br bjth d'lh, Sohn des Hauses Gottes (IV § 1 p. 85 Mac-
donald), die rabbinische Literatur kennt als festen terminus
technicus die ‚phamîlîâ‘ Gottes, d. h. die Engel als die
„phamîljā šäl maʿᵃlā“ vgl. Chag. 13b; Sanh. 99b u. ö. s. *S.
Krauß,* Griechische und Lateinische Lehnwörter im Talmud, Midrasch und Targum, 1899, 2, 463. Der Begriff kann die himmlischen Heerscharen bedeuten, aber auch das himmlische Rats-
kollegium der Weisen (Sanh. 67b). Vgl. das Gebet: „Möge es
dein Wille sein, o Herr, unser Gott, daß du Frieden stiftest in
der oberen und in der unteren ‚phamîljā‘ . . .“ (Ber. 16b/17a).

Es zeigen sich hier deutliche Parallelen zur synoptischen Passionsgeschichte. Vermutlich besteht zwischen dem leidenden Weisen und Gottessohn und dem „Gottesknecht" von Jes 53 eine gewisse Beziehung. Nach seinem Tode wird der Gerechte den „Söhnen Gottes", d. h. den Engeln, zugerechnet (5,5)[86]. In dem jüdisch-hellenistischen Roman *Joseph und Aseneth* bezeichnen die ägyptische Priestertochter Aseneth und andere Nichtjuden Joseph in seiner übernatürlichen Schönheit und Weisheit mehrfach als „Sohn Gottes", sein Bruder Levi nennt ihn freilich nur „einen von Gott Geliebten", nach der Edition Batiffols ist er „wie ein Sohn Gottes". Es soll damit wohl seine Zugehörigkeit zur Sphäre Gottes, man könnte auch sagen seine „Engelsgleichheit", ausgedrückt werden[87].

---

[86] Vgl. dazu *L. Ruppert*, Der leidende Gerechte, fzb 5, 1972, 78 f. 84. 91; *K. Berger*, ZThK 71 (1974), 18 ff.

[87] Jos. u. As. 6,2—6; 13,10; 21,3 vgl. jedoch 23,10 (= Batiffol 75,4 f.); dazu *M. Philonenko*, Joseph et Aséneth, 1968, 85 ff., der den Titel aus der jüdisch-hellenistischen Weisheitsspekulation in Ägypten erklären will. Die Vaterschaft Jakobs wird durch diese Sohn-Gottes-Aussage nicht aufgehoben 7,5; 22,4. Die nächste Parallele zu diesem Sprachgebrauch scheint mir T. Abraham 12 zu sein, wo Abel, der Sohn Adams, als Richter der Seelen fungiert. Er sitzt im Himmel auf einem kristallenen, feuerglänzenden Thron als ein „wunderbarer Mann, wie die Sonne glänzend, ähnlich einem Sohne Gottes" (Rez. A: ὅμοιος υἱῷ θεοῦ). Vgl. auch die Verheißung an Levi in T. Levi 4,2: „Der Höchste hat nun dein Gebet erhört, daß er dich von der Ungerechtigkeit trenne und daß du ihm ein Sohn, Helfer und Diener vor ihm werdest." Dazu *J. Becker*, Untersuchungen zur Entstehungsgeschichte der Testamente der zwölf Patriarchen, AGAJU 8, 1970, 263 f. Nach dem Mose-

Daß auch die Tradition vom *König* als einem „Sohn Gottes" nicht ganz verlorenging, ergibt sich aus einem *Textfragment aus Höhle 4 von Qumran* mit messianischen Zitaten aus dem AT. Dort wird das Nathansorakel 2.Sam 7,14 „Ich werde ihm Vater sein und er wird mir Sohn sein" auf den „Sproß Davids", d. h. den davidischen Messias, übertragen, „der ... in Zion am Ende der Tage auftreten wird" (4 Q flor I, 11 f.). Wenig später wird auch Ps 2 zitiert, leider bricht das Fragment bei den ersten Versen ab, so daß Ps 2,7 nicht mehr erscheint. Aus einem anderen Fragment ergibt sich, daß die Geburt des Messias Gottes Werk sein wird[88]: „... wenn (Gott) geboren werden läßt den Messias unter ihnen" (1QSa 2,11 f.). Selbst im *Rabbinat* ist trotz aller antichristlichen Polemik der messianische Bezug von Ps 2,7 und ähnlichen Stellen nicht völlig verlorengegangen. In einem eben erst — 16 Jahre nach dem Ankauf(!) — vorläufig und fragmentarisch veröffentlichten aramäischen Text ebenfalls aus Höhle 4, der vermutlich aus einem Daniel-Apokryphon eschatologischen Inhalts stammt, erscheint die Bezeichnung „Sohn Gottes" mehrfach. J. A. Fitzmyer ergänzt und übersetzt wie folgt:

---

drama des Tragikers Ezechiel redet Gott aus dem Dornbusch Mose an: „Sei guten Muts, mein Sohn ($\tilde{\omega}$ παῖ), und höre meine Worte..." Text bei *B. Snell,* Tragicorum Graecorum Fragmenta, Vol. I, 293 Z. 100. Nach Jos. Ant. 2,232 ist das neugeborene Mosekind ein παῖς μορφῇ τε θεῖος.

[88] Vgl. *E. Lohse,* ThW VIII, 362 f.; *G. Vermes,* Jesus the Jew, 1973, 197 ff. *W. Grundmann,* in: Bibel und Qumran, Festschrift H. Bardtke, 1968, 86—111.

(„... aber dein Sohn) wird groß auf der Erde sein, (o König!
Alle Menschen werden Frieden) machen und alle werden (ihm)
dienen. Er wird genannt werden (Sohn des) großen (Gottes),
und bei seinem Namen wird er genannt werden. Sohn Gottes
wird man ihn heißen, und Sohn des Höchsten nennen sie ihn
(brh dj 'l jt'mr wbr 'ljwn jqrwnh). Wie Kometen sichtbar werden (wörtlich wie Kometen des Sehens), so wird ihre Herrschaft
sein. Einige Jahre werden sie auf der Erde herrschen und
alles niedertreten. Ein Volk wird das andere niedertreten, eine
Stadt die andere. Bis daß Gottes Volk sich erhebt und jeder
Ruhe hat vor dem Schwert."

Während J. T. Milik auf Grund einer anderen Ergän-
zung in dem Gottessohn den seleukidischen Usurpator
Alexander Balas vermutet, sieht Fitzmyer in ihm eher
einen jüdischen Herrscher. Auch eine kollektive Deutung
auf das jüdische Volk, ähnlich wie beim Menschensohn in
Dan 7,13, ist nicht völlig ausgeschlossen. Interessant sind
die Parallelen zur messianischen Gottessohnschaft Jesu in
Lk 1,32.33.35, auf die Fitzmyer ausdrücklich hinweist.
Man wird die Veröffentlichung des ganzen Textes ab-
warten müssen, um weitere Schlüsse zu ziehen, und es ist
möglich, daß das Rätsel dieses Textes nie befriedigend
gelöst werden kann. Eines wird dabei jedoch deutlich,
daß der Titel „Gottessohn" auch dem palästinischen Judentum nicht völlig fremd war[89].

---

[89] *Billerbeck* III, 19 ff. Dort auch Belege für die Polemik
gegen die christliche Sohnesvorstellung. Pesiqta Rab. 37 (Friedmann 163a) wird Jer 31,20: „ein geliebter Sohn ist mir Ephraim"
auf den leidenden Messias b. Joseph übertragen. Nach seiner
Erhöhung wird er zum Richter über die Völker eingesetzt.
S. u. S. 111. Im Targum zu Ps 89,27 verheißt Gott dem davidischen König, d. h. dem Messias: „Er wird mich anrufen: ,mein

Man wird allerdings einwenden, daß es hier durchweg um die Bezeichnung von ausgezeichneten Menschen als „Söhne Gottes" geht und gerade nicht um die Übertragung göttlichen Wesens auf einen Menschen, geschweige denn um Aussagen über Präexistenz und Schöpfungsmittlerschaft. Nun wird zumindest in der Weisheit Salomos und Joseph und Aseneth die Verbindung zwischen einem Menschen und der Welt der himmlischen „Göttersöhne" angedeutet. Im folgenden möchte ich auf zwei jüdische Texte, einen aus Palästina und einen aus der Diaspora, verweisen, in denen diese Grenze deutlich durchbrochen wird.

### 5.3.2 Die jüdische Mystik: Metatron

In dem aus der jüdischen Mystik stammenden sog. *3. hebräischen Henochbuch* wird der Mensch *Henoch* nach Gen 5,24 zu Gott *in den höchsten Himmel entrückt und in die Feuergestalt eines Engels verwandelt.* Als *„Metatron"* wird er auf einen Thron neben Gott gesetzt und über alle Engel gestellt, um als Generalbevollmächtigter, als Wesir Gottes, zu fungieren. Er erhält die Funktionen des „Fürsten der Welt", ja noch mehr, er wird

---

Vater bist du, mein Gott und die Kraft meiner Erlösung!'" hû' jiqrê lî 'abbā 'att...; vgl. dazu das χράζειν des Geistes Rö 8,15 und Gal 4,6. Hier könnte die — sicher auf Jesus zurückgehende — Wurzel des Gebetsrufs ‚Abba' im Urchristentum liegen, s. u. S. 99 A. 116. Ex. R. 19,7 bezieht R. Nathan (um 160) Ps 89,28: „Auch will ich ihn zum Erstgeborenen machen" auf den Messias, Bill. III, 258. Zu dem neuen „Sohn-Gottes"-Text aus Qumran s. *J. A. Fitzmyer,* NTS 20 (1973/4), 391 ff. Die Deutung Miliks erscheint in HThR.

der „kleine Jahwe" genannt. Die Parallele zu neutestamentlichen Aussagen über die Inthronisation des erhöhten
Christus wurde schon längst erkannt[90], es besteht auch
eine deutliche Abhängigkeit von der älteren Menschen-
sohnüberlieferung, wie sie etwa im äth. Henochbuch
Kap. 70 und 71 erscheint, nur daß man im Rabbinat auf
Grund der Konfrontation mit dem Christentum Titel wie
Menschen- und Gottessohn nicht mehr verwenden konnte.
Dafür wird Henoch von Gott die rätselhafte Bezeichnung
„na'ar", Jüngling, verliehen[91]. Hier könnte es sich um
die Substitution eines nicht mehr verwendbaren christologischen Titels wie „Sohn" oder „Menschensohn" han-

---

[90] „Fürst der Welt": 3.Hen. 30,3; 38,3; vgl. auch Ex. R.
17,4; Chag. 12b; Jeb. 16b; Chullin 60a u. ö.; „kleiner Jahwe":
12,5; 48 C, 7; 48 D, 1 Nr. 102. Auch die Bezeichnung 'äbäd
(JHWH) erscheint s. 48 D, 1 Nr. 17 dazu *H. Odeberg* II, 28.
174 und 3.Hen. 1,4; 10,3 u. ö. vgl. *J. Jeremias*, ThW V, 687
A. 256. Nach Nu. R. 12,12 bringt er als himmlischer Hohepriester die Seelen der Gerechten als Sühne für Israel dar.
Vgl. auch *G. Scholem*, Jewish Gnosticism, Merkabah Mysti-
cism . . ., ²1965, 45 ff. 131. Zur Christologie s. *H. R. Balz*, Metho-
dische Probleme der neutestamentlichen Christologie, WMANT
25, 1967, 87—112; *O. Michel*, Der Brief an die Hebräer, MeyersK
12. A. 1966, 105; *K. Berger*, NTS 17 (1970/71), 415. Eine
verwandte Mittlergestalt ist Jaoel in der Apokalypse Abra-
hams. Die Metatron-Spekulation wird ihrerseits von der gnostischen Pistis Sophia und dem Buch Jeu aufgenommen s. *Odeberg* I, 188 ff.

[91] 3.Hen. 2,2; 3,2; 4,1.10; vgl. dazu *Odeberg* II, 7 f.; I, 80
dazu 68 f. mandäische und 191 gnostische Parallelen, die offen-
sichtlich von der älteren jüdischen Spekulation abhängig sind.
Nach Jeb. 16b ist er nicht nur „na'ar", Jüngling, sondern
zugleich „zaqen", Greis (Ps 37,25).

deln. Für sich spricht die rabbinische Warnung, diesen Metatron nicht mit Gott selbst zu verwechseln, da „sein Name dem seines Herrn gleicht"[92]. Als der rabbinische Mystiker und spätere Apostat Elischa ben Abuja in einer Vision Metatron auf dem Thron in seiner Herrlichkeit erblickte, soll er ausgerufen haben: „Wahrhaftig, zwei göttliche Kräfte sind im Himmel!" Diese Erkenntnis habe seinen Abfall vom Judentum begründet[93]. Daß man analoge Vorstellungen auch auf den Messias übertragen konnte, zeigt die Deutung, die Aqiba den Thronen von Dan 7,9 gab: Einer sei für Gott und der andere sei für David, d. h. den Messias. R. Jose der Galiläer widersprach entrüstet: „Aqiba, wie lange noch willst du die Schechina profanieren ...?"[94]

[92] Sanh. 38b; vgl. 3.Hen. 12,5: „Und er nannte mich den kleine(ren) Jahwe in Gegenwart seiner ganzen ‚phamiljä' (s. o. A. 85), wie geschrieben ist: ‚Denn mein Name ist in ihm'" (Ex 23,21). Zur Verbindung anderer Engel mit dem Tetragramm s. 29,1 und 30,1, dazu *Odeberg* II, 104 f. Hier haben wir eine Analogie zur Übertragung des Kyrios-Titels (in der LXX ursprünglich Qere für das Tetragramm) auf den erhöhten Christus. Ähnlich urteilt *K. Berger*, ZThK 71 (1974), 19 A.36, der auch auf Jaoel in Apok. Abr. 10 verweist.

[93] 3.Hen. 16,2 vgl. Chag. 15a. Metatron wird für dieses Sakrileg des Erz-Apostaten Elischa (= Acher) mit 60 Feuerschlägen bestraft. Hier liegt ein metatronfeindliches Interpretament vor, das diese Art von mystischer Himmelsspekulation als gefährlich denunziert! Zur rabbinischen Polemik gegen die „zwei Mächte" s. *H. F. Weiß*, Untersuchungen zur Kosmologie des hellenistischen und palästinischen Judentums, TU 97, 1966, 324 f.

[94] Sanh. 38b par. Chag. 14a. Daraus ergibt sich zugleich die messianische Deutung des Menschensohns durch Aqiba. Vgl.

### 5.3.3 Das Gebet Josephs

Man kann freilich auch hier sagen, daß diese Tradition zwar eine Analogie zur Erhöhungschristologie sei und die Einsetzung eines Menschen in eine gottähnliche Würde samt der Verleihung absoluter Herrschaftsgewalt erkläre, jedoch nicht *Präexistenz* vor aller Zeit, Schöpfungsmittlerschaft, Sendung und Menschwerdung. Hier hilft uns ein Text aus der griechischsprechenden Diaspora weiter. Origenes zitiert in seinem Johanneskommentar ein Fragment aus einem jüdischen Apokryphon, dem sogenannten Gebet Josephs. Dort erscheint *Jakob-Israel,* der Stammvater des Gottesvolkes, als menschgewordener „Erzengel der Kraft des Herrn und oberster Befehlshaber unter den Söhnen Gottes". Als solcher wurde er — zusammen mit den anderen Erzvätern Abraham und Isaak — „vor allem Schöpfungswerk erschaffen" und erhielt von Gott den Namen Israel, „der Mann, der Gott schaut, denn ich bin der Erstgeborene von allem Lebendigen, dem Gott Leben verliehen hat". Inkognito auf die Erde herabgestiegen, entbrennt der tief unter ihm stehende Engel Uriel voll Neid gegen ihn und kämpft mit ihm am Fluß Jabbok (Gen 32,25 ff.), wird aber von Jakob durch den Hinweis auf seine ungleich höhere Würde überwunden. Die an sich kollektiv auf das Volk Israel bezogene Stelle Ex 4,22: *„Israel ist mein erstgeborener Sohn!"* wird hier offenbar auf ein präexistentes

auch Billerbeck 1, 486; vor allem die Interpretation des 'Anani aus 1.Chr. 3,24 als ‚Wolkensohn' d. h. als Messias. S. auch die Erhöhungsmessianologie in der Pesiqta Rabbati u. S. 111 f. A. 127.

höchstes Geistwesen (πνεῦμα ἀρχικόν) gedeutet, das in Jakob Menschengestalt annimmt und zum Stammvater des Volkes Israel wird. Jakob-Israel kann darum auch seinen Söhnen die ganze Zukunft des Gottesvolkes verkündigen, weil er sie auf den himmlischen Schicksalstafeln gelesen hat[95].

---

[95] Orig., in Joh 2,31 § 189 f. (GCS 10,88 f.) vgl. Orig., in Gen 1,14 (3,9) bei Euseb, pr. ev. 6,11,64 (GCS 43,1,356), Text auch bei *A.-M. Denis*, Fragmenta Pseudepigraphorum quae supersunt graeca, Leiden 1970, 61 f., dazu *ders.*, Introduction aux pseudépigraphes grecs..., Leiden 1970, 125 ff. und den ausführlichen Artikel von *Jonathan Z. Smith*, The Prayer of Joseph, in: Religions in Antiquity, Essays in Memory of E. R. Goodenough, Leiden 1968, 253—294. *Smith* betont die Beziehungen zur jüdischen Mystik und Weisheitsspekulation und weist den jüdischen Ursprung des Fragments nach: „Rather than the Jews imitating Christological titles, it would appear that the Christians borrowed already existing Jewish terminology" (S. 272). Auch einige Rabbinen interpretieren Ex 4,22 nicht primär auf das Kollektiv Israel, sondern auf den Patriarchen, so z. B. *R. Nathan* in Ex. R. 19,7: Gott spricht zu Mose: „Gerade so wie ich Jakob zu einem Erstgeborenen gemacht habe, denn es heißt: ‚Israel ist mein erstgeborener Sohn', so will ich den König Messias zu einem Erstgeborenen machen, wie es heißt: ‚Ich will ihn zum Erstgeborenen machen' (Ps 89,28)." Vgl. 3.Hen. 44,10 (Odeberg): „Abraham mein Geliebter, Isaak mein Erwählter, Jakob mein Erstgeborener." *J. Z. Smith* kommt zu dem Ergebnis: „The PJ may be termed a myth of the mystery of Israel. As such it is a narrative of the descent of the chief angel Israel and his incarnation within the body of Jacob and of his recollection and ascent to his former heavenly state." (S. 287) Schon *H. Windisch*, Neutest. Stud. f. G. Heinrici, UNT 6, 1914, 225 A. 1 sah die Bedeutung dieses Fragments: Seine „Wendungen

## 5.3.4 Die präexistente Weisheit

Die bisher vermißte *Schöpfungsmittlerschaft* begegnet uns dagegen ständig in der jüdischen Weisheitsüberlieferung seit dem 3. Jh. v. Chr. Bereits in dem grundlegenden Weisheitshymnus Prov 8,22 ff. erscheint die Weisheit als *das vor allen Schöpfungswerken geborene, geliebte Kind Gottes,* gegenwärtig bei der Erschaffung der Welt:

> „als er des Erdengrundes Fundamente legte,
> war ich sein Liebling ihm zur Seite;
> und ich war seine Wonne Tag für Tag,
> spielend vor ihm allezeit,
> spielend auf seinem Erdenrund
> und meine Wonne (findend) bei den Menschenkindern"
> (8,29 f.).

Diese eigenartige, Gott am nächsten stehende Schöpfungs- und Offenbarungsmittlerin gewinnt in der hellenistischen Zeit im Judentum eine Funktion, die man — cum grano salis — mit der platonischen Weltseele oder dem stoischen Logos vergleichen könnte[96]. Sie vermittelt der Welt die Ordnung und den Menschen ihre Rationalität: Gott selbst „hat sie auf alle seine Werke ausgegossen" (Sir 1,9). Aber derselbe Ben-Sira, der mit dieser Aussage ihre Universalität betonte, proklamiert in einer nur aus dem geistigen Kampf seiner Zeit verständlichen radikalen Wende ihre äußerste Exklusivität: Die Weisheit durchzog zwar Himmel und Erde, fand aber keine Wohnung:

erinnern gleicherweise an die Weisheitsspekulation wie an Col 1,15". Vgl. auch *A. D. Nock,* Essays 2, 931 f.

[96] *M. Hengel,* Judentum und Hellenismus 275 ff. 292 ff.

Da gebot mir der Schöpfer des Weltalls,
und der mich schuf, ließ mein Zelt zur Ruhe kommen;
er sprach: ‚In Jakob sollst du dein Zelt aufschlagen
und in Israel Erbbesitz gewinnen!‘
Von Urzeit her, von Anfang an ward ich geschaffen (Syr u. Vulg),
und bis in Ewigkeit vergeh’ ich nicht.
Im heiligen Zelte tat ich Dienst vor ihm,
und darauf wurde ich in Zion eingesetzt.
In der Stadt, die er ebenso liebt wie mich, fand ich Ruhe
(Syr u. Vulg),
und in Jerusalem (entstand) mein Machtbereich.
Ich faßte Wurzel in einem ruhmreichen Volke,
im Anteil des Herrn, in seinem Erbbesitz (Syr).
(24,8—12; Üs. und Textgestaltung nach V. Hamp).

D. h., daß die höchste Mittlergestalt das himmlische
Heiligtum verläßt und sich auf *einem* Punkt der Erde
niederläßt, dem Tempel auf dem Zionsberg in Jerusalem,
dem Ort, den der Gott Israels erwählt hat und auf dem
nach der profetischen Verheißung auch der Thron des
Messias stehen soll[97]. Die exklusive Einschränkung geht

---

[97] Op. cit. 284 ff.; *J. Marböck,* Weisheit im Wandel, BBB
37, 1971, 17 ff. 34 ff. 63 ff.; vgl. dazu *H. Gese,* Natus ex
virgine, in: Probleme biblischer Theologie, G.v. Rad z. 70.
Geburtstag, 1971, 87 = Vom Sinai zum Zion 144 f.: „Die in
der späteren Weisheitstheologie hypostasierte Weisheit, die als in
der Urzeit geschaffenes Kind Gottes vorgestellt werden mußte
(Spr 8,22 ff.), hat als Repräsentant der Ordnung Jahwes eine
mit dem Zionskönig vergleichbare Funktion. Ihre Identität
mit der Jahweoffenbarung an Israel führt zu der Vorstellung, daß sie als präexistenter göttlicher Logos (Sir 24,3 ff.)
wie die Lade nur auf dem Zion … die bleibende Wohnung
finden kann (V. 7 ff.). So verbindet sich die Weisheitstheologie mit dem Zionsmessianismus in der Wurzel, und diese
Verbindung ist in jenen verhältnismäßig frühen υἱὸς θεοῦ-

jedoch noch weiter: Für Ben-Sira wird die göttliche Weisheit identisch mit der Tora Moses.

„Dies alles ist das Bundesbuch des höchsten (Gottes),
das Gesetz, das uns Mose aufgetragen hat
als Erbe für die Gemeinde Jakobs" (24,23).

Dies bedeutet, die göttliche Weisheit, eine kosmische
Größe, wird von Gott selbst an einen bestimmten Ort auf
der Erde gesandt und nimmt gleichzeitig die Gestalt des
Israel anvertrauten Gesetzes vom Sinai an. Diese Identifizierung von Weisheit und Tora haben die Juden auch
weiterhin festgehalten und dabei zugleich immer auch
ihre universale, kosmische Seite betont. Für den jüdischen
Religionsphilosophen Philo wie für die Rabbinen ist die
Weisheit-Tora dem Bauplan bzw. dem Werkzeug ver-
gleichbar, mit dem Gott die Welt erschaffen hat, beide
können sie auch die *„Tochter Gottes"* nennen[98]. Sie ist
nach Philos Quaest. Gen 4,97 „Tochter Gottes und erstgeborene Mutter des Alls". Es ist dabei von sekundärer
Bedeutung, ob diese Bezeichnung nur metaphorisch-bild-
haft geschieht oder ob dahinter die Vorstellung einer
personifizierten Hypostase durchschimmert. Beides war

---

Stellen des Neuen Testaments vorausgesetzt, die von der
Sendung des Sohnes sprechen... Die sapientale Interpretation der Zionstheologie führt zur Präexistenzvorstellung des
υἱὸς θεοῦ, und in neuem Lichte mußte die Überlieferung erscheinen, die in der Davidzeit die Urzeit sah und wie Mi 5,1
daher den protologischen Ursprung des eschatologischen Messias
lehrte."

[98] *M. Hengel,* op. cit. 307 ff. Zur Tora als „Tochter Gottes"
310 A. 404. Zur Weisheit als „Tochter Gottes" bei Philo s.
fuga 50 ff.; virt. 62; Quaest. Gen 4,97.

im Grunde auswechselbar. Auch in der *alexandrinischen Weisheit Salomos* erhält die Weisheit einerseits umfassende kosmische Bedeutung: Sie ist „Hauch der Kraft Gottes", „reine Ausströmung des Glanzes des Allmächtigen", „Abglanz (seines) ewigen Lichts" und „Abbild seiner (vollkommenen) Güte". Hier stoßen wir auf Bilder und Begriffe, die uns wörtlich in christologischen Aussagen wiederbegegnen[99]. Auf der anderen Seite wird sie nicht als Tochter Gottes bezeichnet, sondern — in noch mythologischerer Weise — als seine „Lebensgefährtin" (8,3) und Throngenossin (9,4), der von ihr inspirierte Gerechte ist dagegen „Sohn Gottes" (2,18), auch Israel ist „Sohn Gottes" 18,13, und die von ihr erzogenen Israeliten sind „Gottes Kinder" (9,4.7; 12,19.21; 16,21 u. ö.). In der Gestalt des göttlichen Geistes (7,7.22 f.; 9,17 f.) wird sie ausgesandt (9,10) und „geht in heilige Seelen ein", erfüllt „Freunde Gottes und Profeten", d. h. sie wirkt in der heiligen Geschichte Israels, der Gotteskinder (7,27). Gleichzeitig durchwaltet sie jedoch wie der stoische Logos das ganze All (8,1)[100].

---

[99] Sap 7,25; vgl. dazu *B. L. Mack*, Logos und Sophia, SUNT 10, 1973, 67—72. Seine einseitig ägyptisierende Deutung führt jedoch an der Sache vorbei. Wir haben hier die typische Sprache der religiösen hellenistischen ‚Koine' vgl. *J. M. Reese*, Hellenistic Influence on the Book of Wisdom and its Consequences, Analecta Biblica 41, 1970, 41 ff. Der Vf. steht unter dem Einfluß der Popularphilosophie und der *hellenistischen* Isisaretalogie, die sich wesentlich von ihren älteren ägyptischen Vorläufern unterscheidet. Vgl. dazu Hebr 1,3; Kol 1,15; 2.Kor 4,6.

[100] Vgl. *C. Larcher*, Études sur le livre de la Sagesse (Études bibl.) 1969, 329—414: La Sagesse et l'Esprit.

### 5.3.5 Philo von Alexandrien

Ganz ähnliche Züge trägt die Weisheit im Werk des jüdischen Religionsphilosophen Philo von Alexandrien, der etwa eine Generation älter ist als Paulus. Dabei ist freilich zu beachten, daß man im philonischen Werk keine streng systematisierte Begrifflichkeit voraussetzen darf, sondern mit sehr freien und kühnen Assoziationen rechnen muß. Unter ausdrücklicher Berufung auf den Weisheitshymnus in Prov 8,22 ff., von dem wir ausgingen, kann Philo z. B. Gott — den „Demiurgen", der das All erschaffen hat — als Vater und die göttliche Vernunft (ἐπιστήμη), die mit der Weisheit identisch ist, als die Mutter der Welt bezeichnen. „Sie hat Gottes Samen empfangen und den einzigen und geliebten wahrnehmbaren Sohn, diese unsere Welt, als reife Frucht in Wehen geboren."[101] Hier verbindet sich die *jüdische Weisheitsspekulation mit der platonischen Schöpfungslehre des Timaios.* Gott als dem Vater des Alls entspricht *die Welt als Sohn.* Dabei unterscheidet Philo jedoch zwischen der *geistigen Ideenwelt* und der sichtbaren Welt. Die erstere ist der

---

[101] Ebr. 30 f.; vgl. fug. 109: Gott als Vater und die Weisheit, „durch die das All ins Sein kam", als Mutter des Hohepriesters, d. h. des Logos; ähnlich quod det. pot. 54. S. *B. L. Mack,* op. cit. 145. Zum Ganzen s. auch *H. Hegermann,* Die Vorstellung vom Schöpfungsmittler ... TU 82, 1961, u. *H. F. Weiß,* Untersuchungen zur Kosmologie des hellenistischen und palästinischen Judentums, TU 97, 1966, 248—282. Eine Übersicht geben auch *A. S. Carman,* Philo's Doctrine of the Divine Father and the Virgin Mother, AJTh 9 (1905) 491—518 u. *A. Maddalena,* Filone Alessandrino, Milano, 1970, 298—317: Il figlio e il padre; 345—358: Dal figlio al padre.

„*älteste und erstgeborene Sohn*" und als solcher identisch mit dem *Logos,* der göttlichen Weltvernunft. Als Mittler zwischen der ewigen Gottheit und der geschaffenen wahrnehmbaren Welt ist er zugleich „Abbild" (εἰκών) Gottes[102]. Philo kann ihn in vielen Variationen darstellen, unpersönlich als „geistige Welt" oder aber personifiziert als himmlischen Hohenpriester, sündlosen Mittler, geistigen Urmenschen, Fürsprecher, Erzengel, ja als zweiten Gott (δεύτερος θεός), der, weder geschaffen noch ungeschaffen, Gottes Bote und Gesandter ist und als sein Statthalter die Elemente und Gestirne regiert[103]. Die sichtbare Welt

---

[102] Conf. ling. 62 f. wird der an sich messianische „ṣämaḥ" = ἀνατολή von Sach 6,12 auf den ältesten und „erstgeborenen Sohn", d. h. den Logos, gedeutet. Zu seiner Mittlerstellung s. quis rer. div. 205 f. Vgl. auch conf. ling. 146, de agricult. 51; de somn. 1,215; quod det. pot. 82; spec. leg 1,96 u. a. Zum Logos als εἰκών s. *F.-W. Eltester,* Eikon im Neuen Testament, BZNW 23, 1958, 35 ff.

[103] *E. Schweizer,* ThW VIII, 356 f.; *B. L. Mack,* op. cit. 167 ff. Daß — wie Mack meint — hinter der Vorstellung vom Logos als „Sohn" und „Abbild" die ägyptische Horus-Mythologie steht, ist wenig wahrscheinlich. Mack unterschätzt die mittelplatonische Tradition, in der Philo steht. Die Lichtterminologie ist in der Antike viel zu allgemein, als daß aus ihr weitreichende religionsgeschichtliche Schlüsse gezogen werden dürften. Alle überwiegend monokausalen Versuche einer Philodeutung (ägyptische Mythologie; Mysterientheologie; Gnosis; A.T. u. Judentum) führen in die Irre und werden dem synthetisch-komplexen Charakter des philonischen Denkens nicht gerecht. Zum Logos als „zweitem Gott" s. Quaest. Gen 2, 62 = Euseb pr. ev. 7,13,1: „Das Sterbliche kann nämlich niemals dem Höchsten, d. h. dem Vater aller Dinge, nachgebildet werden, sondern (allein) dem zweiten Gott, der

ist dagegen der „jüngere Sohn" und die Zeit der „Enkel Gottes". Auch der „jüngere Sohn" hat Mittlerfunktion[104], er kann „mich wie ein Sohn über den Vater und wie ein Werk über den Werkmeister" belehren[105]. Sonderbarerweise ist Philo *bei der Übertragung der Bezeichnung „Sohn Gottes" auf Menschen außerordentlich zurückhaltend*. Quaest. Gen 1,92 (zu Gen 6,4) begründet er die Benennung der Engel als „Söhne Gottes" dadurch, daß sie körperlose Geister seien, die nicht von einem Mann gezeugt sind. Daran schließt er die Bemerkung an, daß Mose auch „gute und hervorragende Menschen" Söhne Gottes nenne, während er die schlechten nur als „Körper" bezeichne. Spec. leg. 1,318 kommt er auf Grund einer Kombination von Dtn 13,18 und 14,1 zu dem Schluß, „daß Menschen, die ‚das (der Natur) Wohlgefällige und das Schöne' tun, Söhne Gottes sind", die leibliche Abstammung spiele dagegen keine Rolle; die Beschränkung auf den Volksverband Israels war damit im Grunde aufgehoben. Deutlich wird diese Zurückhaltung Philos gegenüber der Übertragung des Begriffs auf Menschen vor allem conf. ling. 145 ff. Zunächst betont er unter Zitierung von Dtn 14,1 und 32,18, daß alle die, die Erkenntnis der Einzigartigkeit Gottes haben, „Söhne des einzigen Gottes" genannt werden. Dies wird auf traditionell stoische Weise ergänzt: sie „halten nur das (sittlich)

---

der Logos jenes ist"; vgl. dazu Rö 8,32 u. *H.-F. Weiß*, op. cit. 261 A. 8. Vgl. jedoch auch die Überlegungen somn. 1,228 ff. über θεός und ὁ θεός s. u. S. 125 f.

[104] Quod deus imm. 31 f.; de ebr. 30 ff. (zit. Prov 8,22).

[105] Spec. leg. 1,41.

Schöne für ein Gut", um damit das sittlich Schlechte, die Lust, zu zerstören. Dann aber schränkt Philo ein: „Wer aber noch nicht würdig ist, Sohn Gottes zu heißen", der soll sich „dem Logos, Gottes Erstgeborenem, dem Ältesten unter den Engeln", dem „Erzengel" und „Vielnamigen" zuordnen, der zugleich auch „Anfang, Name, Wort Gottes, der ebenbildliche Mensch und der Schauende, d. h. Israel, heißt" (.. κατὰ τὸν πρωτόγονον αὐτοῦ λόγον, τὸν ἀγγέλων πρεσβύτατον..· καὶ γὰρ ἀρχὴ καὶ ὄνομα θεοῦ καὶ λόγος καὶ ὁ κατ᾽ εἰκόνα ἄνθρωπος καὶ ὁ ὁρῶν, Ἰσραήλ, προσαγορεύεται).

Unter Berufung auf Gen 42,11 „Wir sind alle Söhne eines Mannes", d. h. Jakob-Israels, betont er dann, daß die, die „noch nicht tüchtig (genug) sind, als Söhne Gottes erachtet zu werden", doch wenigstens Söhne „des hochheiligen Logos", Gottes „ungeformtem Ebenbild", werden sollen. Es gehe dabei nicht um physische Zeugung, sondern um die „Erzeugung der Seelen, die durch die Tugend zur Unsterblichkeit gelangen" (149). Die Heilsfunktion des Logos wird hier besonders deutlich. Nur er, der „Erstgeborene Gottes", kann die Menschen durch geistige Neugeburt dazu bringen, daß sie der Bezeichnung „Sohn Gottes" würdig werden. Die Deutung „Israels", des Mannes, der Gott schaut, als „Archē" und „ältester Erzengel" wirft zugleich ein Licht auf das schon erwähnte Gebet Josephs, wobei der Sprachgebrauch Philos freilich stärker philosophisch geprägt ist. Offenbar waren derartige Spekulationen für das Diasporajudentum nicht ungewöhnlich.

Um so sonderbarer ist, daß Philo den Begriff „Sohn

Gottes" praktisch kaum auf eine konkrete Gestalt der
Heilsgeschichte bezieht. Zwar spricht er gerne von der
vaterlosen, geistigen Erzeugung und kann in diesem Zusammenhang einmal Isaak „Sohn Gottes" nennen, aber
dies Prädikat gilt gerade nicht dem geschichtlichen Erz-
vater, sondern meint in allegorischer Deutung seines Namens „das beste aller Hochgefühle", das „innere geistige
Lachen", das Gott „zur Wonne und Wohlgemutheit den
ganz friedlichen Seelen schenkt" (mut. nom. 130 f.). Nur
auf Abraham wird in einem Fall die Bezeichnung — gewissermaßen en passant — übertragen, und zwar im
Zusammenhang mit der Auslegung von Gen 18,17: „Soll
ich vor *Abraham,* meinem Freund (die LXX hat dagegen
nur ‚mein Knecht' παῖς μου!), verhüllen (was ich vor-
habe)?" Wer so als Weiser mit Gott befreundet ist, „ist
weit über die Grenzen menschlicher Glückseligkeit hinaus-
geschritten; er allein ist nämlich von edler Abstammung,
da er sich Gott zum Vater erwählt hat und allein von
ihm als Sohn *adoptiert* worden ist" (μόνος γὰρ εὐγενὴς
ἅτε θεὸν ἐπιγεγραμμένος πατέρα καὶ γεγονὼς εἰσποιητὸς
αὐτῷ μόνος υἱός). Im Anschluß daran wird in gut stoischer Manier der Weise als allein wahrhaft Reicher, Freier
und König gepriesen (sobr. 56 f.)[106].

---

[106] Vgl. Quaest. Gen. 4,29 zu 18,33 wo die Begegnung Gottes mit Abraham als Ekstase des Weisen geschildert wird. Solche Begegnung kann nicht von ständiger Dauer sein, der Weise
muß bereit sein zurückzukehren, „denn nicht alles können die
Söhne tun in der Schau des Vaters..." Quaest. Gen. 4,21 wird
A. entsprechend der LXX von Gen 18,17 „mein Knecht" genannt, ebenso all. leg. 3,18. *K. Berger* möchte (ZThK 71
[1974] 7 u. NTS 20 [1973/4] 34 f. A. 132) in der Verbindung

Anstatt des „Sohn Gottes" gebraucht Philo lieber das
auf alttestamentliche Vorbilder zurückgehende „Mensch
Gottes" (ἄνθρωπος θεοῦ)[107]. Diese Zurückhaltung fällt
um so mehr auf, als bei ihm, doch wohl unter hellenistischem Einfluß, die Grenze zwischen göttlicher Welt und
Mensch bei einzelnen Gestalten wie den Erzvätern und
Mose fließend wird. So legt er Quaest. Ex 2,29 die Aus-
sagte 24,2, daß Mose allein zu Gott aufsteigen dürfe, in
der Weise aus, daß die profetisch begabte Seele von Gott
inspiriert „zu Gott in eine verwandtschaftliche Beziehung
komme, denn indem sie alles sterbliche Wesen aufgegeben
und hinter sich gelassen hat, verwandelt sie sich in das

---

von Abraham als dem Weisen, adoptiertem Gottessohn, dem
Reichen, Freien und König eine hellenistisch-jüdische Tradition
von einem unpolitischen Königtum sehen. Daß diese Motive
ganz auf stoischer Tradition beruhen, zeigt der — ironische —
Schluß des Briefes von Horaz an Maecenas (ep. I, 1, 106 ff.):

> „ad summam: *sapiens* uno minor est Iove, *dives,*
> *liber,* honoratus, pulcher, *rex* denique regum,
> praecipue sanus — nisi cum pitvita molesta est."

(... es sei denn, daß ihn gerade ein Schnupfen plagt).
So schon *E. Bréhier*, Les idées philosophiques et religieuses de
Philon d'Alexandrie, ³1950, 233 ff.: „Le fils de Dieu ... n'est
donc que le sage au sens stoïcien, sans qu'il y ait trace d'une
relation personnelle."

[107] Die Bezeichnung der „Mensch Gottes" kann zugleich für
den Logos, d. h. den himmlischen Urmenschen, wie für den
gemäß dem Logos lebenden Weisen verwendet werden. Zum
Begriff vgl. die LXX Dtn 33,1; Jos 14,6 = Mose; 1.Reg 2,27;
9,7—10 = Samuel; 3.Reg 12,24; 13,4—31; 17,24; 4.Reg
1,9—13 u. ö. Elia; 4,7 ff. Elisa. Zu Philo s. *Bréhier*, op. cit.
121 ff. In 1.Hen 15,1 ist der in den Himmel zu Gott entrückte
Henoch ὁ ἄνθρωπος ὁ ἀληθινός (bzw. τῆς ἀληθείας).

göttliche, so daß solche Menschen gottverwandt und wahrhaft göttlich werden". In Quaest. Ex 2,46 nennt Philo diese Verwandlung eine „zweite Geburt", körper- und mutterlos, allein bewirkt durch den „Vater des Alls"[108]. In dem „eschatologischen" Traktat de praem. et poen. 165 ff. schließlich wird die wunderbare Heimkehr Israels geschildert, wobei drei „Fürsprecher" (παράϰλητοι) mitwirken, um „die Versöhnung mit dem Vater" (πρὸς τὸν πατέρα ϰαταλλαγαί) zu erwirken: Gottes Güte, die Fürbitte und die Besserung der Heimkehrer. Deren Ziel ist „nichts anderes als Gott zu gefallen, *gleichwie* Söhne einem Vater". Obwohl Philo gemessen an seinem großen Werk „Sohn Gottes" nicht häufig gebraucht, hat die Bezeichnung eine beträchtliche Variationsbreite. Im kosmischen Bereich, wo ihr Schwerpunkt liegt, knüpft sie an die jüdische Weisheitsspekulation wie an Platons Timaios an, die Beziehung auf Menschen wird in der Regel durch alttestamentliche Aussagen angeregt, jedoch stoisch interpretiert. Diese Zurückhaltung bei der Verwendung der Metapher dürfte — trotz starker hellenistischer Prägung — mit dem Bestreben zusammenhängen, Gottes überweltliche Transzendenz zu wahren. Sie steht freilich

---

[108] Zum Sprachgebrauch Philos s. *R. A. Baer jr.,* Philo's Use of the Categories male and female, ALGHJ 3, 1970, besonders S. 55 ff.: The divine impregnation of the soul. Die ständige Darstellung von Gott und seinen ihm untergeordneten Kräften als geistige Erzeuger hat den Sinn, ihn als „the source of all goodness and virtue" (61) darzustellen. Die Heilsgeschichte mit ihren einzelnen konkreten Gestalten tritt gegenüber dem mystisch-gegenwärtigen Gottesverhältnis ganz zurück.

in auffallendem Gegensatz zu den beliebten philonischen
Spekulationen über eine „Erzeugung" oder „Geburt" aus
Gott. Alttestamentlich-jüdische und hellenistisch-mytho-
logische bzw. philosophische Aussagen verbinden sich dabei fast nahtlos miteinander: Philo zeigt so die weitge-
spannte Möglichkeit einer interpretatio graeca jüdischer
Tradition.

## 6. ZUM PROBLEM DER ENTSTEHUNG
## DER FRÜHEN CHRISTOLOGIE

Wir haben in äußerster Kürze den jüdischen Sprachgebrauch vom Sohn Gottes und die damit verbundenen
Denkmodelle der Präexistenz, Schöpfungmittlerschaft
und Sendung in die Welt umrissen und glauben darin wesentliche Bausteine gefunden zu haben, die von der Urkirche bei der Konzeption ihrer christologischen Entwürfe
verwendet wurden. Die erstaunliche Vielnamigkeit und
Variabilität der Weisheit und erst recht des Logos bei
Philo lehren, daß es irreführend ist, wenn man das Ge-
flecht der christologischen Titel in eine Vielzahl selb-
ständiger, ja einander widersprechender „Christologien"
und verschiedener dahinterstehender Gemeinden aufzulö-
sen sucht. Der historischen Wirklichkeit kommt man damit sowenig näher, wie wenn man hinter jedem Namen
des philonischen Logos eine selbständige „Logoslehre"
vermutete. Eine derartige Methode eröffnet im Grunde
nur eine weite Skala historischer Absurditäten. Dies gilt
es auch im Blick auf die Entstehung der Christologie zu
beachten. Der antike Mensch dachte im Bereich des Mythos gerade nicht analytisch differenzierend wie wir, sondern im Sinne der „Vielfalt der Annäherungsweisen"
kombinierend und akkumulativ. Je mehr Titel auf den
Auferstandenen bezogen wurden, desto angemessener war

es möglich, die Einzigartigkeit seines Heilswerkes zu ver-
herrlichen[109]. Weiter gilt es zu bedenken, daß wir — wie

[109] Logos und Weisheit werden von Philo als „vielnamig"
bezeichnet: conf. ling. 146: „Wenn aber jemand nicht würdig
ist, Sohn Gottes zu heißen, so bestrebe er sich, sich zuzuord-
nen dem Logos, seinem (Gottes) Erstgeborenen, dem Ältesten
unter den Engeln, da er Erzengel und vielnamig (πολυώνυμος)
ist!" Nach leg. all. 1,43 wird die — mit dem Logos identische
bzw. als seine Mutter bezeichnete — „erhabene himmlische
Weisheit" als „vielnamige" hervorgehoben. Auch Mose (mut.
nom. 125) und der Weise (ebr. 82) sowie die „göttlichen
Kräfte" (somn. 2,254) werden „vielnamig" genannt. Daß —
nach allgemeinantiker Anschauung — die „Vielnamigkeit"
einen höheren Rang bedeutet, zeigt sich nicht nur an der Verleihung der siebzig Namen an Metatron 3.Hen. 3,2; 4,1; 48 D,
1,1.5.9, sondern auch an der Vielzahl der Gottesnamen selbst,
3.Hen. 48 B vgl. Philo, decal. 94: man darf den „vielgestaltigen
Namen Gottes" (τὸ τοῦ θεοῦ πολυώνυμον ὄνομα) nicht frevel-
haft mißbrauchen. Während die Namenlosigkeit der Götter
als ein Zeichen primitiver Völker galt, wurde die Vielnamigkeit
zum Ehrenprädikat; s. zur Stoa Diog. Laert. 7,135.147;
Ps. Aristot. de mundo 7 (401a, 13 ff.). Vgl. schon Hom. Hymn.
Dem. 18.32: „der vielnamige Sohn des Kronos" (= Hades),
weiter die Anrufung des „vielnamigen" Dionysos, Sophokles
Ant. 1115, den Kleantheshymnus Z. 1 (SVF 1,121 Z. 34 f.):
„Zeus, der Unsterblichen Höchster, vielnamiger Herrscher des
Weltalls..." u. Aristid. or. 49,29 ff. (Keil 346): „Zeus hat
alle großen und ihm geziemenden Namen erhalten." Bekannt
ist die „vielnamige Isis", Apul. met. 11,5,2: cuius numen uni-
cum multiformi specie, ritu vario, nomine multiiugo totus
veneratur orbis. Vgl. auch die große Isisaretalogie POx 1380.
Zum Ganzen E. *Bickerman*, Anonymous Gods, Journal of the
Warburg Inst. 1 (1937/38), 187 ff.; H. *Bietenhard*, ThW V,
1954, 248 f. Die Verbindung der Vielnamigkeit der Weisheit
und des Logos bei Philo mit der ägyptischen Isisaretalogie bei

überhaupt aus der Antike — in den uns erhaltenen Quellen im Grunde nur einen ganz kleinen, oft durchaus zufällig erhaltenen Ausschnitt aus einem sehr viel größeren Überlieferungsbereich besitzen.

Die Frage ist nun: Wieweit können die mosaikartig zusammengestellten jüdischen Quellen uns dabei helfen, die Entwicklung der Sohn-Gottes-Christologie in den knapp 20 Jahren zwischen dem gemeindegründenden Urgeschehen von Tod und Auferstehung Jesu und der Entfaltung der paulinischen Mission nach dem Apostelkonzil hypothetisch zu rekonstruieren?

Grundsätzlich ist dabei zu bedenken, daß es sich hier nicht einfach um die simple Reproduktion älterer jüdischer Hypostasen- und Mittlerspekulationen handeln kann, sondern daß die früheste Christologie ein durchaus originäres Gepräge trägt und letztlich in dem kontingenten Ereignis der Wirksamkeit Jesu, seines Todes und der Auferstehungserscheinungen wurzelt: Der religionsgeschichtliche Vergleich kann nur die Herkunft einzelner Motive, Traditionen, Sprachelemente und Funktionen, nicht dagegen das Phänomen der Entstehung der Christologie als Ganzes erklären. Hier ist zugleich die Möglichkeit von „analogieloser" Innovation in Betracht zu

*B. L. Mack,* op. cit. 110 A. 2 ist einseitig. Es handelt sich um ein sehr verbreitetes Phänomen. Zur Christologie s. *H. v. Campenhausen* im Blick auf das 4. Evangelium, ZNW 63 (1972) 220 f.: „Diese Fülle der ‚Namen' ist zweifellos beabsichtigt. Jesus selbst in seiner Einzigkeit ist der alleinige Inhalt des Evangeliums. Jeder mögliche Titel hat nur Hinweischarakter, und keiner kann Jesus ganz so umschreiben, wie er in Wahrheit ist."

ziehen. Auch heute sind wir im Grunde über das — bei
einem so hervorragenden Kenner der hellenistischen Religionsgeschichte wie A. Deißmann besonders bedeut-
same — Urteil noch kaum hinausgekommen: „Die Entstehung des Christuskultes (und d. h. zugleich der
Christologie!) ist das mütterliche Geheimnis der palästinensischen Urgemeinde." An diesem Punkte haben unsere
Überlegungen einzusetzen.

### 6.1 Das alte Bekenntnis Rö 1,3 f.

Ich möchte zunächst auf einen paulinischen Sohn-
Gottes-Text zurückgreifen, den ich bisher zurückgestellt
hatte und der — nach dem übereinstimmenden Urteil
der Forschung — ein älteres Bekenntnis enthält. Paulus
bringt es in der Einleitung zu dem Brief an die nicht von
ihm gegründete Gemeinde in Rom, vielleicht, um mit
dieser Formel auf die gemeinsame Bekenntnisgrundlage
zu verweisen. Der Apostel macht hier über den „Sohn
Gottes" als Inhalt seines Evangeliums eine doppelte Aussage:

„der geworden ist aus dem Samen Davids dem Fleische nach,
der eingesetzt ist zum Sohne Gottes in Macht dem Geist der
[Heiligkeit nach
aus der Auferstehung von den Toten" (Rö 1,3 f.).

Über kaum einen neutestamentlichen Text ist in den
letzten Jahren so viel geschrieben worden wie über diesen[110]. Wir können es uns ersparen, die vielfältigen Hypo-

---

[110] S. die Zusammenstellung bei *E. Käsemann,* An die Römer, 2; *K. Wengst,* Christologische Formeln und Lieder des

thesen über die Entwicklung dieser Formel zu referieren. Alle Rekonstruktionsversuche sind doch mehr oder weniger hypothetisch. Deutlich werden sich hier zwei kontrastierende Sätze gegenübergestellt, die beide den Gottessohn (περὶ τοῦ υἱοῦ αὐτοῦ 1,3 a) betreffen:

1. Seiner menschlichen Herkunft nach stammt er von David ab. Damit ist die irdisch-heilsgeschichtliche Voraussetzung seiner messianischen Würde genannt.

2. Der Nachdruck liegt jedoch auf der zweiten Aussage: Durch die Auferstehung — oder auch zeitlich: seit der Auferstehung — ist er zum Sohne Gottes eingesetzt, und zwar in „göttlicher" Macht (δύναμις) und in „geistartiger", d. h. himmlischer, Seinsweise, die an der göttlichen Herrlichkeit teilhat.

Es wäre daher zu einseitig, wollte man die Gottessohnschaft nur „rechtlich" und „nicht physisch" verstehen[111]. Diese moderne Alternative ist nicht zureichend. Denn die Gottessohnschaft Jesu enthält gleichzeitig eine Aussage über das „transzendente" Sein des Auferstandenen bei Gott in seiner Herrlichkeit, in die er hinein„verwandelt" wurde. Es fällt bei dieser Formulierung jedoch auf, daß Paulus nicht expressis verbis von der Präexistenz und Sendung des Sohnes spricht, mag er sie auch in der Einleitung voraussetzen; ja aus dem isolierten Wortlaut ent-

Urchristentums, SNT 7 (1972), 112 ff.; *G. Eichholz*, Die Theologie des Paulus im Umriß, 1972, 123 ff.; *E. Brandenburger*, Frieden im Neuen Testament, 1973, 19 ff. Wesentlich noch *E. Schweizer*, Neotestamentica, 1963, 180 ff.; *P. Stuhlmacher*, EvTh 27 (1967), 374—389.

[111] *H. Conzelmann*, Grundriß der Theologie des Neuen Testaments, 1967, 96.

nimmt man, daß die Einsetzung in die Gottessohnschaft
erst durch die Auferstehung von den Toten erfolgt ist.
Daraus kann man schließen, daß es sich hier wirklich um
ein sehr frühes, im eigentlichen Sinne „vorpaulinisches"
Bekenntnis handelt, das in einer einfacheren Form wahrscheinlich auf die erste judenchristliche Gemeinde in Jerusalem zurückgehen könnte. H. Schlier vermutet als solche
Urform:

> „Jesus Christus geworden aus dem Samen Davids,
> bestellt zum Sohn Gottes
> aus der Auferstehung der Toten."[112]

Paulus selbst versteht es dagegen gewiß im Sinne seiner Präexistenzchristologie, wie sie uns etwa auch im
Philipperhymnus begegnet, wo der Gekreuzigte im Akt
der Erhöhung den Titel „Kyrios" erhält. Die nächste
jüdische Parallele wäre die Erhöhung, Verwandlung und
Inthronisation des Menschen Henoch, der ja auch von
Gott eine Fülle von Titeln, darunter „der kleine Jahwe",
zugesprochen erhält.

### 6.2 Der historische Hintergrund von Rö 1,3 f.

Das zweigliedrige Bekenntnis zeigt sehr schön die zwei-
fache Wurzel der Christologie:

Die erste Wurzel ist der irdische Jesus aus dem Geschlecht Davids. Die Aussage des ersten Gliedes bezeichnet ihn als den Messias designatus. Als solcher geht er in
den Tod. Über seinem Kreuz stand als — politische —

---

[112] *H. Schlier*, Zu Rö 1,3 f., in: Neues Testament und Geschichte. Festschrift O. Cullmann, 1972, 207—218, hier S. 213.

„causa poenae": König der Juden. Dieser Titel durch-
zieht wie ein roter Faden die ganze Leidensgeschichte und
kann darum nicht einfach als späte Gemeindebildung ab-
getan werden[113]. Die frühchristlichen Glaubensformeln
wiederholen daher in vielfacher Variation: „Der Messias
(Christos) starb für uns" bzw. „für unsere Sünden". Der

---

[113] *M. Hengel*, Nachfolge und Charisma, BZNW 34, 1968,
42 ff. Daß die Anklage, „König der Juden" zu sein, für die
römische Verwaltung mit Aufruhr identisch war, zeigt die
Charakterisierung der jüdischen Könige bei Tacitus, hist.
5,8: „Tum Iudaei Macedonibus invalidis, Parthis nondum adultis
(et Romani procul erant) sibi ipsi reges imposuere." Nur die
Römer hatten das Recht, in ihrem Machtbereich Könige ein-
und abzusetzen s. Jos. Bell. 1,282: Mark Anton ist entschlossen,
Herodes „zum König der Juden zu machen". Dagegen hat der
Hasmonäer Antigonos nach Ant. 14,384 sein Königtum ver-
wirkt, weil er von den Parthern eingesetzt wurde. Er wird
nach Dio Cassius 49,22,6 als Aufrührer durch das Beil hinge-
richtet, nachdem er zuvor an einen Pfahl gebunden und ge-
geißelt worden war, „was (zuvor) kein König von den
Römern erlitten hatte" (vgl. Strabo nach Jos. Ant. 15,9). Zur
Verspottung Jesu als „König der Juden" vgl. außer der Kara-
bas-Episode in Alexandrien, Philo in Flacc. 36 ff., auch den
Befehl des Präfekten Lupus in Alexandrien zur Verspottung
eines jüdischen Königs (Andreas Lukas vom Aufstand 116/7
n. Chr.?) im Mimus auf dem Theater, s. die Acta Pauli et
Antonini Col. 1,1 ff., Acta Alexandrinorum, ed. Musurillo,
1961, p. 36 f. Das Skandalon eines gekreuzigten *jüdischen*
Messiaskönigs, der als „Herr" und „Gottes Sohn" verkündigt
werden soll, können wir uns gar nicht groß genug vorstellen.
Schon die Frage des Pilatus Mk 15,9.12 und erst recht der
Titulus stellen im Grunde judenfeindliche Äußerungen dar.
Zur charismatisch-weisheitlichen Deutung von Königstitel und
Davidsohnschaft s. *K. Berger*, ZThK 71 (1974) 1—15.

schimpfliche Tod des Messias designatus war ein uner-
hörter Anstoß, der die Urgemeinde von Anfang an dazu
zwang, dieses horrendum im Blick auf seine Heilsnot-
wendigkeit von der alttestamentlichen Verheißung her zu
deuten. Freilich, von alledem ist hier nicht die Rede. Der
Tod Jesu wird nur in der Auferstehungsaussage implizit
vorausgesetzt.

Die zweite Wurzel der Christologie und ihren unmit-
telbaren Anstoß bildet das Auferstehungsgeschehen. Gott
hat sich zu dem am Fluchholz Gerichteten bekannt. Man
könnte die Aussage „Gott hat Jesus auferweckt" als das
eigentliche christliche Urbekenntnis bezeichnen, das uns
— noch häufiger als die Formel vom Sterben des Christus — immer wieder im NT begegnet[114]. Das Part. pass.
ὁρισθείς in Rö 1,4 ist ein typisches Passivum divinum, das
Gottes eigenes Handeln umschreibt. Dabei ist wohl zu beachten, daß die Auferstehung allein noch in keiner Weise
ausreicht, die Entstehung der Messianität Jesu zu erklären. Die Erhöhung eines Märtyrers zu Gott war noch kein
Ausweis seiner eschatologisch-messianischen, d. h. aber
einzigartigen Würde! Die Auferstehung erhält ihre besondere Bedeutung dadurch, daß Gott hier den gekreuzigten

---

[114] Aus der überfließenden Literatur zur Auferstehung ver-
weise ich auf *B. Rigaux*, Dieu l'a ressuscité, Gembloux 1973,
besonders 311 ff.; *P. Stuhlmacher*, Das Bekenntnis zur Auferweckung Jesu von den Toten und die Biblische Theologie,
ZThK 70 (1973), 365—403; sowie das 3. Heft der ThQ 153
(1973) über „die Entstehung des Auferstehungsglaubens", mit
Beiträgen von *R. Pesch, W. Kasper, K. H. Schelkle, P. Stuhlmacher* und *M. Hengel*.

„König der Juden", seinen Gesalbten, bestätigt[115]. Die Bestätigung geschieht dadurch, daß Gott diesen Jesus zum
Gottessohn einsetzt, und zwar kraft der Auferstehung von
den Toten. Damit kommen wir zu der uns besonders in-
teressierenden Frage: Warum hat das Bekenntnis an
dieser entscheidenden Stelle „Sohn Gottes" und nicht
„Menschensohn", „Messias" oder auch „Herr"? Man
würde im Zusammenhang der Erhöhung eigentlich einen
anderen Titel erwarten: Im äthiopischen Henoch 71,14
redet Gott den erhöhten Henoch an: „Du bist der Man-
nessohn, der zur Gerechtigkeit geboren wird", und der
für die frühe Christologie ganz entscheidende Ps 110
beginnt: „Der Herr hat zu meinem Herrn gesagt: Setze
dich zu meiner Rechten...". Es erscheint hier wie im
Philipperhymnus das Stichwort „Herr". Die alttestament-
lich-jüdischen Sohn-Gottes-Aussagen sind — wie wir sa-

---

[115] Vgl. *N. A. Dahl,* Der gekreuzigte Messias, in: *H. Ristow/
K. Matthiae,* Der historische Jesus und der kerygmatische Christus, 1960, 161: „... aus den Erscheinungen des Auferstandenen
konnte man folgern, daß Jesus lebe und zum Himmel erhöht,
nicht aber, daß er der Messias sei... Die Auferstehung
bedeutete ..., daß Jesus von Gott seinen Widersachern gegenüber ins Recht gesetzt worden war. War er als angeblicher
Messias gekreuzigt worden, dann — aber auch nur dann —
mußte der Glaube an seine Auferstehung zum Glauben an die
Auferstehung des gekreuzigten Messias werden." Ähnlich *J.
Jeremias,* Neutestamentliche Theologie, Erster Teil, 1971, 243:
„Der Glaube an die Auferstehung eines gemordeten Gottes-
boten bedeutet keineswegs Glauben an seine Messianität (vgl.
Mk 6,16), und: das Skandalon des gekreuzigten Messias ist so
ungeheuerlich, daß es schwer denkbar ist, daß die Gemeinde
sich diesen Anstoß selbst geschaffen haben sollte."

hen — zudem verwirrend vielseitig und wenig eindeutig; gerade im zeitgenössischen Judentum wird „Gottessohn" für den Messias nicht eigentlich titular gebraucht. Darauf wäre zunächst zu antworten: Der Titel Sohn Gottes schließt — wie kein anderer im NT — die Gestalt Jesu mit Gott zusammen. Er ist der geliebte (Mk 1,11; 9,7; 12,6 parr), der einzige (Joh 1,14.18; 3,16.18; 1.Joh 4,9) und der erstgeborene Sohn (Rö 8,29; Kol 1,15.18; Hebr 1,6; vgl. Apok 1,5). Damit soll zum Ausdruck gebracht werden, daß in Jesus Gott selbst zu den Menschen kommt und daß der Auferstandene ganz mit Gott verbunden ist. Man mag nun einwenden, daß diese scheinbar dogmatische Auskunft keine historische Beweisführung sei. Sie hat jedoch gute historische Gründe, von denen ich vier nennen will:

1. Ein wesentlicher Ausgangspunkt ist das einzigartige Gottesverhältnis Jesu, das in der für das Judentum ganz ungewöhnlichen Gottesanrede „Abba", lieber Vater, zum Ausdruck kommt, eine Anrede, die Paulus selbst als aramäisches Fremdwort noch seinen Missionsgemeinden mitteilt und die ein geistgewirktes Zeichen dafür ist, daß der Sohn die Glaubenden zu Söhnen Gottes macht. Auch wenn Jesus sich wahrscheinlich nicht expressis verbis als „Sohn Gottes" bezeichnet hat, so liegt doch in seinem „sohnhaften" Verhältnis zu Gott als Vater die eigentliche Wurzel zu diesem nachösterlichen Titel[116].

---

[116] Rö 8,15; Gal 4,5 f.; Mk 14,36. *J. Jeremias*, Abba, 1966, 15—67; *ders.*, Neutestamentliche Theologie, Erster Teil, 1971, 67 ff. 174 ff. Auch die Urform des Offenbarungswortes Mt 11,27 = Lk 10,22 ist Ausdruck dieses Sohnesverhältnisses s. op. cit.

2. Eine weitere Wurzel ist der messianische Schriftbeweis. Jesus war als angeblicher messianischer Präten-
dent von den Volksführern bei Pilatus denunziert und
von diesem zum Tode verurteilt worden. In den Auf-
erstehungsereignissen, deren ältestes Zeugnis der festge-
formte Bericht des Paulus in 1.Kor 15,3 ff. darstellt, sah
die Urgemeinde die göttliche Bestätigung des messianischen Anspruchs Jesu. Allerdings widersprach diese Messianität des Gekreuzigten, Auferstandenen und Erhöhten
ganz der volkstümlich-traditionellen Erwartung eines
politischen Befreiers und schriftgelehrten Auslegers der
Tora, wie sie besonders durch den Pharisäismus verbreitet worden war. Ihre argumentative Kraft erhielt die
missionarische Verkündigung der ersten Auferstehungs-
zeugen gegenüber ihrem eigenen Volk in erster Linie
durch den „Schriftbeweis", der die profetische Verheißung vor die Tora stellte. So konnte man aus dem alten
Nathansorakel an David 2.Sam 7,12—14 ohne weiteres
das Junktim von Auferweckung und Gottessohnschaft
Jesu herauslesen: „Und ich werde deinen Samen nach dir
auferwecken (wah^aqîmotî = καὶ ἀναστήσω) ..., und ich

---

63 ff. Der Ableitungsversuch von *K. Berger*, NTS 17 (1971)
422 ff. aus der weisheitlichen Lehrtradition und dem Verständnis von ‚Lehrer' und ‚Belehrten' ist dagegen zu einseitig. Rö
8,15 ff. zeigt ähnlich wie Gal 4,4 ff., daß es um die eschatologische Befreiung der Kinder Gottes geht. Diese hat ihre Wurzeln
schon in der „Reich-Gottes"-Predigt Jesu und in seinem Verhalten. Die Bedeutung des aramäischen Abbarufes in den
heidenchristlichen Missionsgemeinden des Paulus erklärt sich
nur sinnvoll durch die Rückführung auf Jesus selbst. S. auch o.
S. 72 A. 89 zu Ps 89,27.

werde sein Königreich aufrichten. Er wird ein Haus
bauen meinem Namen, und ich werde den Thron seiner Herrschaft in Ewigkeit aufrichten. Ich werde ihm zum
Vater und er wird mir zum Sohn werden." Mein Freund
Otto Betz hat deutlich gezeigt, daß hinter dem frühen
Bekenntnis in Rö 1,3 f. die Deutung von 2.Sam 7,12 ff.
auf den Auferstandenen steht[117]. Weitere Hinweise für
den starken Einfluß von 2.Sam 7,12—16 auf die werdende Christologie der Urgemeinde ergeben sich aus Lk
1,32 f., Apg 13,33 f. und Hebr. 1,5, denn hinter allen
diesen Aussagen steht eine ältere Traditionsgeschichte. Bei
den beiden letztgenannten Stellen ist darüber hinaus
2.Sam 7,14 aufs engste mit Ps 2,7 verbunden. Auch aus
Ps 2 und Ps 89 ergab sich ja eindeutig die Verbindung
zwischen Messias und Gottessohn. Da „Gottessohn"
außerdem sowohl für den leidenden Gerechten wie für
den Charismatiker und Weisen verwendet werden konnte,
warum sollte man diese Bezeichnung nicht ganz gezielt
erst recht auch auf den erhöhten Messias Jesus übertragen? In dem Titel „Sohn Gottes" laufen so verschiedene
Traditionslinien zusammen.

---

[117] *O. Betz*, Was wissen wir von Jesus?, 1965, 59 ff. 64 ff.;
ausführlicher in der englischen Fassung: What Do We Know
About Jesus? scm paperback, 1968, 87 ff. 96 ff. Vgl. auch
*E. Schweizer*, The Concept of the Davidic ‚Son of God' in
Acts and Its Old Testament Background, in: L. E. Keck/
J. L. Martyn (eds.), Studies in Luke-Acts, Nashville, 1966,
186—193. Grundsätzlich zum messianischen Schriftbeweis im
Blick auf den Tod und die Auferstehung Jesu s. auch *J. Jere-
mias*, Abba, 205, zu dem — kaum zu bezweifelnden — Einfluß
von Jes 53.

3. Jesus hatte in rätselhafter Weise von dem kommenden „Menschensohn", aramäisch bar 'ᵃnāš, gesprochen und sich selbst mit dieser kommenden Richtergestalt „identifiziert"; ich glaube weiter, daß er schließlich in verhüllender Form von sich selbst als „dem Menschen-(sohn)" reden konnte. Nur so wird erklärbar, daß gerade dieses Rätselwort eine solch zentrale Bedeutung in allen Evangelien als ausschließliche Selbstbezeichnung Jesu erhielt, obwohl es kein geläufiger messianischer Titel war und offenbar auch in der urchristlichen Missionspredigt darum nicht verwendet werden konnte. Es hat keine eigentlich kerygmatische Bedeutung. In den synoptischen Evangelien ist zwar vom leidenden und kommenden Menschensohn, nicht aber vom Glauben an ihn die Rede. Die beiden zeitgenössischen jüdischen Texte, die vom Menschensohn reden, identifizieren ihn bereits mit dem Messias[118]. Im Urchristentum war das nicht anders. Die Auferstehung bildete nun gewissermaßen den Erweis für die Wahrheit der Menschensohnverkündigung Jesu: Gott hat den Gekreuzigten selbst als den Menschensohn-Messias erwiesen, und als solcher wird er in der Funktion des Heilsbringers und Richters wiederkommen. Es lag nun schon aus sprachlichen Gründen nach dem Gesetz der Analogie nahe, den von Gott bestätigten, erhöhten „bar 'ᵃnāš(ā)" = Menschensohn zugleich als „bar 'ᵃlāh(ā)",

---

[118] Äth. Hen. 48,10; 52,4; 4. Esra 13; vgl. dazu *U. B. Müller*, Messias und Menschensohn in jüdischen Apokalypsen und in der Offenbarung des Johannes, SNT 6, 1972, 52 ff. 81 ff. 111 ff. Zur rabbinischen Exegese von Dan 7,13 s. *Billerbeck* I, 486 und Justin, dial. c. Tryph. 32.

d. h. als „Gottessohn", zu bekennen. Das lag um so mehr
nahe, als der „Menschensohn" zugleich über alle himmlischen „Göttersöhne" erhöht und ihm alle Macht als
Gottes endzeitlichem „Bevollmächtigten" in die Hand ge-
legt war. Die hier in äußerster Knappheit geschilderte
Entwicklung hin zu der in Rö 1,3 f. erhaltenen Aussage
über den durch die Auferstehung eingesetzten Gottessohn
kann in relativ kurzer Zeit noch in Palästina selbst erfolgt sein. Sie lag in der inneren Konsequenz der Zusam-
menschau der Verkündigung und des Verhaltens Jesu,
seines Todes und des Auferstehungsgeschehens begründet.
Wenn Paulus seine etwa zwischen 32 und 34 nach Christus erfolgte Berufung vor Damaskus als eine Offenbarung
des Gottessohnes durch Gott selbst beschreibt, so setzt er
m. E. die zentrale Bedeutung dieses Titels für die dama-
lige Zeit schon voraus[119]. In seiner Berufungsvision wurde
er „der Identität des himmlischen Messias mit dem gekreuzigten Jesus" gewiß[120]. Der Davidsohn Jesus war

---

[119] Gal 1,15 f.; s. o. A. 19. Vgl. *M. Hengel*, in: Neues
Testament und Geschichte, Festschrift O. Cullmann, 1972, 62.

[120] *J. Weiß*, Das Urchristentum, 1917, 140 (vom Vf. gesperrt). Vgl. 117. Ob und in welcher Form Paulus bereits als
Diasporapharisäer an die Existenz einer himmlischen messianischen Gestalt glaubte, wissen wir nicht. Die Vermutungen der
religionsgeschichtlichen Schule, besonders krass etwa bei *M.
Brückner*, Die Entstehung der paulinischen Christologie, 1903,
über eine vorchristliche jüdisch-hellenistische Spekulation von
einem himmlischen präexistenten *Messias*, haben keinen direk-
ten Anhalt in den uns bekannten Quellen. Greifbar wird uns
nur die Weisheitstradition. Freilich ist die Literatur des hellenistischen Judentums zum allergrößten Teil verlorengegangen. Wir wissen z. B. nicht, welche Traditionen hinter der

kein anderer als der auferstandene Gottessohn. Die von dem Pharisäer und Schriftgelehrten Paulus erbittert bekämpfte Botschaft der Christen war nicht ein teuflischer Betrug, sondern Gottes eschatologische Wahrheit.

4. Verstärkt wurde diese Entwicklung hin zu der Verwendung von υἱὸς θεοῦ als zentralem Hoheitstitel durch die Möglichkeit, das hebräische ʿäbäd mit παῖς zu übersetzen und dieses dann als „Sohn" zu deuten. Auf diese Weise erklärt sich, daß schon in den neutestamentlichen Texten „Knecht Gottes" (παῖς θεοῦ) als christologischer Titel ganz zurücktritt. Doch wird man annehmen dürfen, daß sein Einfluß im Urchristentum nie so stark war wie teilweise vermutet wird. Ob z. B. in der Taufperikope Mk 1,11 das υἱὸς θεοῦ ein ursprüngliches παῖς θεοῦ verdrängt hat, ist zumindest sehr fraglich[121]. Zunächst handelte es sich so bei dem Bekenntnis zu dem „Sohn Gottes" vor allem um eine ausgesprochene *Erhöhungsaussage.*

### 6.3 Präexistenz, Schöpfungsmittlerschaft und Sendung in die Welt

Wie aber ist nun der Schritt bis hin zu den Vorstellungen von der *Präexistenz,* der *Schöpfungsmittlerschaft*

---

Offenbarung des endzeitlichen Hohepriesters T. Levi 18 stehen. Völlig unbegründbar ist dagegen die Annahme einer vorchristlichen jüdischen „Christus-Gnosis", wie sie W. Schmithals vermutet.

[121] Vgl. *J. Jeremias,* Abba, 1966, 191—216. Zur Taufperikope Mk 1,9—11 s. *F. Hahn,* Hoheitstitel 301 f. 340 ff.; dagegen *F. Lentzen-Deis,* Die Taufe Jesu nach den Synoptikern, 1970, 186 ff. 262 ff.

und der *Sendung* des Gottessohnes in die Welt zu erklären, die bereits für Paulus eine zentrale Bedeutung besitzen?

Es ist möglich, ja wahrscheinlich, daß sie erst in den Kreisen jener griechischsprechenden Judenchristen entfaltet wurden, die, aus Jerusalem vertrieben, in den hellenistischen Städten Palästinas, Phöniziens und Syriens die Heidenmission begannen[121a]. Andererseits setzt Paulus auch diese Aussagen in festgeprägter Form bereits voraus. Ein unmittelbarer heidnischer Einfluß ist dabei — schon aus Gründen der volksmäßigen Zusammensetzung dieser jungen Missionsgemeinden — höchst unwahrscheinlich. Denn das geistig aktive, theologisch bestimmende Element waren immer die Judenchristen. Sie haben im Grunde der ganzen Kirche des 1. Jahrhunderts ihr Gepräge gegeben. Dieser entscheidende Punkt wurde von der religionsgeschichtlichen Schule leider zu wenig beachtet. Gerade die Männer, die im 1. Jahrhundert nach Christus die geistige Auseinandersetzung mit dem Judentum am schärfsten führen, Stephanus, der Pharisäer Paulus und die Verfasser des 1., 2. und 4. Evangeliums, des Hebräerbriefes und der Johannesapokalypse, kommen aus dem Judentum. Eine weitere beherrschende Gruppe waren die sogenannten Gottesfürchtigen, die schon vor ihrem Übertritt zum neuen Glauben dem Judentum nahestanden[122]; aus ihren Kreisen dürfte wohl der Verfasser des 3. Evangeliums und der Apg stammen.

Auch in der Weiterentwicklung der Christologie liegt

---

[121a] Vgl. *M. Hengel*, ZThK 72 (1975) 152—206.
[122] Dazu *F. Siegert*, JSJ 4 (1973) 109—164.

eine *innere Folgerichtigkeit*. Das Bekenntnis zur Erhöhung Jesu als Menschen- und Gottessohn in der Auferstehung und in seiner Einsetzung als endzeitlichem Bevollmächtigten Gottes stellte das Urchristentum sofort vor
die Frage nach dem Verhältnis Jesu zu anderen Mittler-
wesen, sei es den höchsten Engeln oder auch der — wenigstens teilweise — personifiziert gedachten Weisheit-
Tora. Auch mußte in der kritischen Abgrenzung gegenüber der Mutterreligion die Relation der bisherigen Heils-
mittel des Judentums, Tempeldienst und Tora, zu dem
erhöhten Gottessohn und Heilsmittler durchdacht werden[123]. Die Gewißheit, daß in Jesu Wirken, Tod und Auf-

---

[123] Gegen *Klaus Berger*, Die Gesetzesauslegung Jesu,
WMANT 40, 1972, 17 ff. finden wir weder im vorchristlichen
Diasporajudentum noch erst recht in Palästina eine echte, d. h.
religiös motivierte, *grundsätzliche* innerjüdische Gesetzeskritik,
die etwa das ganze Ritualgesetz ablehnte und sich nur auf die
sittlichen Gebote konzentrierte. Die radikalen Reformer in Jerusalem nach 175 v. Chr. strebten die völlige Assimilation an
das Heidentum an, und dies war auch in der Regel das Ziel
eines Juden, der mit dem Gesetz der Väter brach. Die jüdischen
Kritiker am Gesetz, von denen Philo spricht (agr. 157; vit. Mos
1,31; conf. ling. 2 ff.), oder die radikalen Allegoristen (migr.
Abr. 89 ff.) standen am Rande des Judentums und hatten kaum
mehr nennenswerten Einfluß s. dazu *H. A. Wolfson*, Philo, 3rd
ed. 1962, 1, 82 ff. und *I. Heinemann*, Philons griechische und
jüdische Bildung, 1932, Nachdruck Darmstadt 1962, 454 ff.
Die urchristliche Gesetzeskritik ist gerade in ihren entscheidenden Anfängen von diesem laxen Assimilationsjudentum kaum
beeinflußt worden. Nicht umsonst bezeichnet sich Paulus Gal
1,14 als ehemaligen „Eiferer" für die väterliche Überlieferung.
Die in Palästina selbst aufbrechende urchristliche Gesetzeskritik
ist dagegen nicht säkular-emanzipatorisch, sondern ganz an

erstehung die „Messiaszeit" angebrochen war, gab mit den Anstoß zu einer grundlegenden Veränderung des Verhältnisses zur Mose-Tora. Nicht mehr die Tora vom Sinai, sondern die Lehre des Messias Jesus verkörperte den wahren Willen Gottes, sein Tod am Fluchholz (Dtn 21,23) konnte, ja mußte das Gesetz Moses als *letzte* Autorität in Frage stellen. Waren für das Judentum — auch im Blick auf die messianische Zeit — weiterhin der Exo-

einem neuen radikalen Verständnis des Willens Gottes orientiert, d. h. sie muß eschatologische Gründe besessen haben und geht letztlich auf eine originale Autorität, nämlich Jesus selbst, zurück. Freilich ist auch die Berufung auf eine „neue Tora der messianischen Zeit" fragwürdig, gegen *W. D. Davies*, Torah in the Messianic Age and/or the Age to Come, JBL Monograph Series 7, 1952 und *H. J. Schoeps*, Paulus, 1959, 177 ff. Das Rabbinat kannte bestenfalls Überlegungen zu einer partiellen Umgestaltung der Tora aufgrund des Aufhörens der Sünde im Zusammenhang mit der Frage nach den „Gründen der Tora", s. jetzt *P. Schäfer*, ZNW 65 (1974), 27—42. Paulus hat nur die schon von Jesus eingeleitete und von den Hellenisten des Stephanuskreises weitergeführte (Apg 6,11.13 f.) partielle Torakritik unter christologisch-soteriologischen Vorzeichen konsequent und radikal zu Ende gedacht. War Gottes Heilsoffenbarung in seinem Christus wirklich universal und endgültig, so mußte sie auch für alle Menschen gültig sein; war Gottes Christus der Grund des Heils, konnte das Gesetz Moses nicht mehr als Heilsweg gelten. Der Christus Gottes stand über dem Gesetz, das ihn selbst nach Dt 21,23 dem Fluch Gottes ausgeliefert hatte. Analog dazu machte der Opfertod Jesu alle Opfer im Tempel sinnlos. Er allein war jetzt das Versöhnungsopfer, Bundesopfer, Sündopfer, das wahre Passalamm, ja Hohepriester und Ort der Versöhnung in einem. Selbst die judenchristlichen Ebioniten lehnten den Opferkult ab.

dus und die Offenbarung des Gesetzes am Sinai das
eigentliche, „maß-gebende" Heilsgeschehen, so übertrugen
die Christen dieses jetzt konsequent auf die Person Christi
und sein Werk. Die Aussage am Ende der Tora Dtn
34,10: „Es ist fortan kein Profet mehr in Israel aufge-
standen gleich dem Mose, mit dem Jahwe von Angesicht
zu Angesicht vertraut verkehrte (und den er bevollmäch-
tigte) zu allen den Zeichen und Wundern, zu denen
Jahwe ihn aussandte", wird schon von Jesus nach Mt 11,11
im Blick auf den Täufer und nach Mt 11,27 = Lk 10,22
im Blick auf sich selbst korrigiert. Bereits die früheste
Christologie mußte sie grundsätzlich außer Kraft setzen.

Weiter entsprach dem endzeitlichen Bewußtsein der
Urgemeinde, gemäß der bekannten Aussage des Barnabas-
briefes (6,13): „Siehe, ich mache die letzten wie die ersten
Dinge", durchaus auch ein gewisses protologisches Interesse. Nur wer über den Anfang verfügt, hat das Ganze.
Der Anfang *mußte* daher vom Ende her beleuchtet werden. Schließlich und endlich war der *Präexistenzgedanke*
ein beliebtes Ausdrucksmittel, um die besondere Heilsbedeutung bestimmter Phänomene herauszustellen. Man
könnte vielleicht sagen, daß er — in typisch jüdischer Weise durch Projektion in die Urzeit — die ge-
meinorientalische Anschauung von der Entsprechung
zwischen himmlischem Urbild und irdischer Wirklichkeit
zum Ausdruck bringe. Die Präexistenz des endzeitlichen
Erlösers konnte schon aus Mi 5,1 oder aus Ps 110,3 her-
ausgelesen werden: er sei von Gott gezeugt, älter als die
Morgenröte der Schöpfung (s. o. Anm. 49). Weitere Prä-
existenzaussagen finden wir für den Menschensohn in äth:

Hen. 48,6 und 62,7: er sei von Gott auserwählt, bevor
die Welt erschaffen wurde; daneben wurde auch die Präexistenz seines Namens (48,3 vgl. 69,26) vertreten. Dem
entspricht die Präexistenz des Messiasnamens in rabbinischen Quellen[124]. Wie bei dem Verhältnis von personifi-
zierter Hypostase und bloßer bildhafter Rede bleiben
auch hier die Übergänge von bloßer „ideeller" Präexistenz — d. h. gewissermaßen nur im Denken Gottes —
zu einer „realen" Präexistenz fließend. Auch darf der
Begriff der „Präexistenz" noch nicht im späteren Sinne
des arianischen Streites als ein Ungeschaffensein und zeit-
los-ewiges Sein mit Gott verstanden werden. Zunächst
bedeutet er ein „Sein vor der Weltschöpfung". Immerhin gab es auch hier Übergänge. So steht schon in Prov
8,22 ff. neben Verben des Geschaffenwerdens auch das „Ge-
borenwerden". Zumindest die Weisheit bzw. der Logos
mußte immer mit Gott verbunden gewesen sein. Man
konnte Gott ja nicht ohne seine Weisheit denken[125]. Je

---

[124] Vgl. *U. B. Müller*, Messias und Menschensohn, 47 ff.:
„Wie der Messias in 4.Esr. ist der Menschensohn in 1.Hen.
präexistente Heilsgröße, ein Teil der von Gott schon geschaffenen Welt, die erst am Ende der Zweiten (sic) erscheinen wird"
(49). Zum Rabbinat s. *Billerbeck* II, 334—352, vor allem 335:
Pes. 54a Bar; Tg Sach 4,7 u. a.; 346 f.: Spekulationen über
die präexistente Seele des Messias aus amoräischer Zeit.

[125] Prov 8,22: „qānānî" = „er erschuf mich"; 8,23: l.
„neṣakkotî" = „ich wurde kunstvoll gebildet" s. dazu *H. Gese*,
in: Probleme biblischer Theologie, Festschrift G. v. Rad, 1971,
81 f. = Vom Sinai zum Zion 138 f., der auch in Ps 2,6 diese
Form (statt des konsonantengleichen „nāsakhtî") liest: „Ich
aber wurde (auf wunderbare Weise) erschaffen als sein König
auf dem Zion . . ."; 8,24: „ḥôlaltî" „ich wurde unter Kreißen

mehr die christologische Reflexion fortschritt, desto mehr drängte sie notwendig zur trinitarischen Fragestellung hin. Nach späterer rabbinischer Überlieferung wurde zum Beweis für die „Präexistenz" des Messias vor der Schöpfung auf Gen. 1,2 „und der Geist Gottes schwebte" verwiesen, denn damit sei der Geist des Messias gemeint (Pes. R. 33,6 vgl. Gen. R. 2,4)[126]. Ein verwandter Text

geboren". Erst recht überwiegen bei Philo und in der Sapientia die Begriffe des „Erzeugens", des „Hervorbringens", der „Widerspiegelung" und des „Fließens" gegenüber denen des Erschaffens und Formens. Philo kann den Logos ewig nennen: „Das Haupt aller Dinge ist der ewige Logos des ewigen Gottes" (Quaest. Ex 2,117; hier könnte es sich freilich um eine christliche Interpretation im armenischen Text handeln, s. die Fortsetzung. Vgl. das re'šit in Gen 1,1; Prov 8,22 und Kol 1,18; Eph 1,22; dazu *H. F. Weiß*, Kosmologie 265 ff.). Nach quis rer. div. her. 205 f. ist der „älteste Logos" und „Erzengel", der vom Vater und Weltenschöpfer den Auftrag erhielt, „das Geschöpf vom Schöpfer abzusondern", als Mittler „weder ein Unerschaffener wie Gott … noch geschaffen (wie die Geschöpfe), sondern in der Mitte zwischen den zwei Extremen". Als solcher ist er „Fürsprecher des … Sterblichen" und „Abgesandter des Herrschers an den Untertan". „Denn wie ein Herold bringe ich den Geschöpfen die Friedensbotschaft dessen, der beschlossen hat, Kriege aufzuheben, des beständig über den Frieden wachenden Gottes." Die spätere Unterscheidung zwischen dem λόγος ἐνδιάθετος und προφορικός bei Theophilos v. Ant. (ad Autolyc. 2,10) geht ja schon auf Philo zurück, der die stoische Begrifflichkeit spekulativ ausgeweitet hatte.

[126] R. Schimeon b. Laqisch, Mitte des 3. Jhdts., legte nach Gen. R. 2,4 den Vers Gen 1,2 auf die vier Weltreiche aus: tohu = Babel; bohu = Medien, das Reich Hamans; Finsternis = jawan (Makedonien); Tiefe (tᵉhom) = die Frevelherrschaft

identifiziert das Urlicht der Schöpfung Gen 1,4 mit dem Licht des Messias, das Gott unter seinem Thron verbirgt. Auf Bitten Satans zeigt Gott diesem den unter dem Thron verborgenen Messias, worauf jener zu Boden fällt, denn er hat damit selbst seine eigene Vernichtung und die seiner Anhänger geschaut[127]. *Die folgenreiche Einführung*

---

(Rom). „,Und der Geist Gottes schwebte', damit ist der Geist des Königs Messias gemeint, wie es heißt Jes 11,2: ,Es ruht auf ihm der Geist Jahwes'"; vgl. Lev. R. 14,1: „der Geist des Messiaskönigs". Dagegen deutete S. b. L. nach Jalqut Ps 139 § 5 (265a), Gen. R. 8,1 und Midr. Tanchuma Tarzia (Buber 153a) den Geist in Gen 1,2 auf die Seele Adams. In Gen. R. 8,1 hat nach der Ausgabe Theodors die Handschrift D ebenfalls den „König Messias" (p. 56). Wahrscheinlich hat S. b. L. beide Deutungen vorgetragen, und man wird den Hinweis auf den Messias bzw. seine Seele nicht einfach mit *Billerbeck* II,350 als Allegorie abtun dürfen. Daß der Gedanke weiterwirkte, zeigt die Pes. R. 33,6 (Friedmann 152b): „Was ist der Beweis, daß der Messias seit Anfang der Erschaffung der Welt existierte? ,Und der Geist Gottes schwebte.' Das ist der Messiaskönig! Denn so heißt es: ,Und der Geist des Herrn wird auf ihm ruhen' (Jes 11,2)."

[127] Pes. R. 36,1 (Friedmann 161a/b). Die Abschnitte 36/37 zeichnen den Messias ben Ephraim als eine präexistente Gestalt, die gehorsam das von Gott bestimmte Leiden für die Sünden Israels auf sich nimmt und sich in die Welt senden läßt. Nach seiner Befreiung aus dem Leiden wird er von Gott in den Himmel erhöht, inthronisiert und verherrlicht. Die Vermutung von Billerbeck, daß dieser homiletische Midrasch erst um 900 n. Chr. entstanden sei, ist fraglich. *J. Bamberger,* HUCA 15 (1940) 425 ff., vermutet auf Grund bestimmter politischer Angaben, daß die Abschnitte 34—37 zwischen 632 und 637 verfaßt wurden. Die darin enthaltenen Traditionen sind zum großen Teil wesentlich älter. Selbstverständlich ist

*des Präexistenzgedankens in die Christologie geschah so
aus innerer Notwendigkeit.* Eberhard Jüngel hat durchaus recht, wenn er — vom systematischen Standpunkt
aus — urteilt: „Das war eher konsequent als mytholo-
gisch"[128]. Mit der Präexistenz erhielt aber auch die Sen-
dungsaussage ihre volle Form. An sich waren ja schon die
Engel oder die Gottesmänner und Profeten des Alten
Testaments von Gott gesandt, für die Endzeit wird nach
Mal 3,23 die Sendung Elias verheißen, in analoger Weise
konnte die jüdische Sibylle von der Sendung des Messiaskönigs sprechen[129]. Lukas nimmt Apg 3,20 dieses
Motiv auf: „... auf daß die Zeiten der Erquickung vom
Herrn her kommen, indem er den für euch längst zuvor
bestimmten Messias, Jesus, *sendet* ...". Aber auf Grund
der Präexistenz setzte die Sendung jetzt — analog zur
Weisheit in Sir 24 — den Abstieg aus der himmlischen
Sphäre, die Erniedrigung und Menschwerdung, voraus,
wie sie uns im Philipperhymnus geschildert wird. Es ist
dabei typisch jüdisch, daß in der Entfaltung der Christologie die Präexistenz, Schöpfungsmittlerschaft und Sen-
dungsvorstellung zeitlich *vor den Legenden der wunder-
baren Geburt ausgebildet wurden.* Der Johannes-Prolog
ist,von seinen Traditionen her, „älter" als die Vorge-
schichten des Mt und Lk in ihrer vorliegenden Form.

---

hier christlicher Einfluß möglich, ja wahrscheinlich. Es wird
jedoch deutlich, welche Formen die jüdische Messianologie
auch nach der Abtrennung vom Christentum und trotz der
polemischen Auseinandersetzung mit diesem annehmen konnte.
Sollte dies in vorchristlicher Zeit so ganz anders gewesen sein?

[128] Paulus und Jesus, 2. A. 1964, 283.

[129] Sib. 3, 286 (Kyros?). 652; 5, 108. 256. 414 f.

Dort könnte man am ehesten von „hellenistischem" Einfluß sprechen, obwohl auch dabei die Gestalt der jüdischen Haggada gewählt wurde. Das Problem der „Präexistenz" erwuchs so notwendigerweise aus der Verbindung von jüdischem Geschichts-, Zeit- und Schöpfungsdenken mit der Gewißheit der völligen Selbsterschließung Gottes in seinem Messias Jesus von Nazareth. Damit wurde nicht das „schlichte Evangelium Jesu" an den paganen Mythos ausgeliefert, sondern umgekehrt die drohende Mythisierung durch die trinitarische Radikalität des Offenbarungsgedankens überwunden.

Nach der Einführung der Präexistenzvorstellung lag es sehr nahe, daß der erhöhte Gottessohn auch die Schöpfungs- und Heilsmittlerfunktion der jüdischen Weisheit an sich zog. Selbst die mit Gott in einzigartiger Weise verbundene vorzeitliche Weisheit Gottes konnte nicht mehr als eine gegenüber dem Auferstandenen und Erhöhten eigenständige und diesem überlegene Größe betrachtet werden, vielmehr wurden alle Funktionen der Weisheit auf ihn übertragen, denn „in ihm sind alle Schätze der Weisheit und Erkenntnis verborgen" (Kol 2,3). Erst damit wurde die *Unüberbietbarkeit und Endgültigkeit der Offenbarung Gottes* in Jesus von Nazareth in letzter, abschließender Weise zum Ausdruck gebracht. Der Erhöhte ist nicht nur der Präexistente, sondern er ist zugleich auch am opus proprium Dei, der Schöpfung, beteiligt, ja er vollzieht das Schöpfungswerk im Auftrag und in der Vollmacht Gottes, so wie er auch das Endgeschehen bestimmt. Es gibt keine Offenbarung, kein Reden und kein Handeln Gottes, das ohne ihn, an ihm vor-

bei geschehen könnte. Darum ist es der präexistente
Christus, der Israel auf seinem Wüstenzuge als der „geist-
liche Fels" begleiten muß (1.Kor 10,4). Nach Sap 10,17
war es die göttliche Weisheit, die Israel auf wunderbare
Weise führte, und Philo identifiziert den Felsen, aus dem
Mose Wasser schlug, wie auch das Manna mit der Weisheit bzw. dem Logos (leg. all. 2,86; det. pot. 115 ff.).
Die palästinische Exegese läßt dagegen das Volk auf dem
Wüstenzug durch die Schechina Jahwes geführt werden.
Da die Auslegung in 1.Kor 10,4 nicht typisch paulinisch
ist und Paulus sonst den positiven Bezug zur Mosezeit
nicht herstellt — er deutet ja auch die Folgen dieses Ge-
schehens gegenüber den Korinthern in negativer Weise —,
muß man annehmen, daß diese Auslegung aus dem nicht-
paulinischen griechischsprechenden Judenchristentum
stammt. Der Traditionsstrom dieser weisheitlichen Präexistenzchristologie war sicher breiter, als die Paulusbriefe
vermuten lassen. Die Logoschristologie des johanneischen
Prologs rund 50 Jahre nach Paulus ist darum nur der
konsequente Schlußpunkt jener Verschmelzung des präexistenten Gottessohnes mit der traditionellen Weisheit,
wobei freilich der stets von der mythologischen Spekulation bedrohte Begriff der „Sophia" dem klaren „Logos",
dem Wort Gottes, weichen mußte. Der Prolog ist daher
auch ganz gewiß nicht aus gnostischen Quellen abzulei-
ten, sondern steht in einem festgefügten innerchristlich-
jüdischen Traditionszusammenhang[130]. Die christologi-

---

[130] S. schon die abgewogene Kritik von *W. Eltester*, Der
Logos und sein Prophet, in: Apophoreta, BZNW 30, 1964,
109—134: „... daß ich den Zusammenhang des Prologs mit

schen Spitzenaussagen des 4. Evangeliums, wie 1,1:
„... und das Wort war bei Gott, und Gott war das
Wort" oder 10,30: „Ich und der Vater sind eins", mar-
kieren das Ziel und die Vollendung der neutestamentlichen Christologie.

Wenn aber der Gottessohn in die umfassende Mittlerfunktion der Weisheit eintrat, dann war auch die für die
Juden autoritative, ontologisch begründete Ordnungs-
und Heilsfunktion der mit der Weisheit identischen Tora
aufs tiefste erschüttert. Der ehemalige Pharisäer und
Schriftgelehrte Paulus zog hier letzte, radikale Kon-
sequenzen. Hatte man schon vor ihm darüber reflektiert,
welche Veränderungen in der Tora durch die Auslegung
des wahren Gotteswillens in der Botschaft des Messias
Jesus vollzogen worden seien, so bringt seine markante
Aussage „Christus ist des Gesetzes Ende jedem Glaubenden zur Gerechtigkeit" (Rö 10,4) in grundsätzlicher Weise
gegen den Anspruch der Tora die einzigartige soteriolo-
gische Funktion des Gekreuzigten und Erhöhten als die
umfassende, letztgültige, endzeitliche Offenbarung Gottes zum Ausdruck. Nicht mehr Mose, sondern allein der
Christus Gottes vermittelt das Heil. Der Appell des Paulus an die Korinther: „Christus ist uns gemacht von Gott

---

dem jüdischen Alexandrinismus stärker betont sehen möchte,
ebenso wie es die ältere Forschung vor Bultmann tat, und
daß ich die gnostischen Beziehungen mir nur durch die hellenistisch-jüdische Literatur, von der ja nur ein Bruchteil erhalten ist, vermittelt denke" (122 A. 30). Von den „gnostischen
Beziehungen" kann man im Prolog ganz absehen, es genügt
das jüdisch-hellenistische Denken, das wir uns sehr vielseitig
vorstellen dürfen.

zur Weisheit, zur Gerechtigkeit, zur Heiligung und zur
Erlösung" (1.Kor 1,30) umfaßt im Grunde alle Heils-
funktionen, die der fromme Jude der Weisheit-Tora zu-
schrieb. Hinter diesem Bruch stand ein bis ins letzte
folgerichtiges christologisches Denken. Es mußte für seine
jüdischen Zeitgenossen ein tödliches Ärgernis bedeuten,
wenn Gottes Weisheit nicht mehr durch das altehrwürdige
Gesetzescorpus, das Mose am Sinai empfangen hatte, vermittelt wurde, sondern durch einen am Kreuz gescheiter-
ten Volksverführer[131]. Wir können uns daher das Ärgernis der paulinischen Christologie und Soteriologie gar
nicht groß genug vorstellen, gerade *weil* sie aus jüdischen
Quellen gespeist waren! Dieses Ärgernis war freilich nicht
so sehr in der Lehre vom präexistenten Gottessohn begründet, wie H. J. Schoeps glaubte, sondern in der christologisch motivierten Abrogation des Gesetzes, seiner
Aufhebung als Heilsweg durch das Kreuz und die Auferstehung Jesu.

Die Verbindung zwischen Jesus und der Weisheit war
dabei durch die Verkündigung des Irdischen vorbereitet,
die ja von der Form her durchaus weisheitlichen Charakter besaß. Die palästinische Urgemeinde sammelte im
Kernbestand der Logienquelle die einzigartigen Weis-

---

[131] Für die Gegner Jesu, hochpriesterliche Sadduzäer und
toratreue Pharisäer, war ja Jesus nicht nur eine auf menschliche Weise gescheiterte Gestalt, sondern ein von Gott gerich-
teter Volksverführer: s. *M. Hengel*, Nachfolge und Charisma,
43 ff. Der Kontrast zwischen seinem Anspruch und seinem
schimpflichen Tod mußte als Gottesurteil gedeutet werden.
Darum wurde Paulus, der Pharisäer und Eiferer für das Gesetz, Verfolger der Gemeinde.

heitsworte des Messias, so wie man ja auch die weisen
Sprüche des Königs und Davidsohnes Salomo gesammelt
hatte. Freilich gilt für Jesus das „hier ist mehr als Salomo" (Lk 11,31 = Mt 12,42). Man sah in ihm bereits
den Repräsentanten der göttlichen Weisheit und übertrug
auf ihn weisheitliche Züge, die wir auch bei dem Menschensohn der jüdischen Bilderreden des äth. Hen. finden[132]. Hier bestätigt sich wieder, daß die Entwicklung

---

[132] *F. Christ,* Jesus Sophia. Die Sophia-Christologie bei den
Synoptikern, AThANT 57, 1970; *H. Köster/J. M. Robinson,*
Entwicklungslinien durch die Welt des frühen Christentums,
1971, 80 ff. 167 ff. 204 ff. Zu den einzigartigen Worten des
Messias s. *M. Hengel,* ThQ 153 (1973) 267 A. 42: Ps Sal
17,43; T. Levi 18,1; Tg Jes 53,5.11 vgl. Lk 4,16 ff. Freilich
glaube ich mit *F. Mußner,* Galaterbrief 86 A. 43 nicht „an
die Existenz einer eigenen ‚Q-Gruppe'" unter den frühchristlichen Gemeinden mit einer ganz spezifischen, separierten
Theologie ohne Kreuz und Auferstehungskerygma. Erst recht
handelt es sich nicht, wie *S. Schulz* behauptet, durchweg um
Sprüche des Erhöhten. Von dem erhöhten Christus ist in Q
gerade nicht die Rede, sondern es geht mit wenigen Ausnahmen durchweg um Worte des Irdischen. Da der Geist bei den
christlichen Profeten im Gottesdienst ständig gegenwärtig war,
mußten seine Kundgebungen gerade nicht festgehalten und
tradiert werden, wohl aber die des jetzt der Gemeinde ent-
zogenen irdischen Jesus, als die apokalyptische Weisheitslehre
des Messias. Daß das Leidens- und Auferstehungskerygma
fehlt, hängt damit zusammen, daß es nicht zur Verkündigung
Jesu gehörte. Das Rätsel von Q löst sich gerade dann am
besten, wenn man Q als Niederschlag der Lehre Jesu ernst
nimmt. Die Grundthese von *S. Schulz,* Q. Die Spruchquelle der
Evangelisten, 1972,5: „Das Urchristentum — längst(!) bevor
Paulus seine Briefe schrieb... — war von Anfang an eine
komplexe Größe mit unterschiedlichem Traditionsmaterial und

der Christologie von Anfang an auf die Synthese ange-
legt war; anders konnte man die eschatologische Einzigartigkeit der Selbstmitteilung Gottes in dem Menschen
Jesus gar nicht zureichend zum Ausdruck bringen. Aus
der Weisheitstradition des griechischsprechenden Judentums übernahm man neben der Schöpfungsmittlerschaft
auch die Bezeichnung Christi als *„Abbild Gottes"* (εἰκών).
Dieser Begriff schuf gleichzeitig Assoziationen zwischen
dem Präexistenten und der Gestalt des ersten, himmlischen Adam, des „Urmenschen", der bei Philo mit dem
Logos und dem „erstgeborenen Sohn" identisch ist, wobei
freilich auffällt, daß Paulus in Christus gerade nicht den
protologischen „Urmenschen" von Gen 1 u. 2, sondern
den himmlisch-eschatologischen „Adam" sieht, der als
„lebenschaffender Geist" den Tod überwindet[133]. Der
„erste Adam", der Urmensch, hat ja auch im Judentum
keine eschatologische Erlöserfunktion. Ist Christus aber

unterschiedlichen kerygmatischen Entwürfen, die auf verschiedene selbständige Gemeinden schließen lassen", ist in dieser
Form unhaltbar und irreführend.

[133] Zu Christus als dem „Abbild Gottes" 2.Kor 4,4; Kol
1,15; dazu *J. Jervell*, Imago Dei, FRLANT 76, 1960, 173 ff.
197 ff. u. besonders 227 ff. zur „göttliche(n) Würde Christi";
*F.-W. Eltester*, Eikon im Neuen Testament, BZNW 23, 1958,
130 ff. Zu Adam und Christus s. 1.Kor 15,44—49. Paulus
durchbricht hier die protologische Spekulation der Diasporasynagoge durch seine sehr konkrete Eschatologie. Nach einem
gnostischen Hintergrund sollte man nicht mehr Ausschau
halten. Dagegen könnte hinter dem „letzten Adam" des Paulus 1.Kor 15,45 sehr wohl auch der apokalyptische Menschensohn stehen. Zur jüdischen Adamspekulation s. *J. E. Ménard,*
Rev. Sciences Rel. 42 (1968) 291 f.

identisch mit dem himmlischen *vorzeitlichen* „Ebenbild Gottes", so heißt das zugleich, daß er *„göttlichen Wesens war"*, wie wir das zu Beginn des Philipperhymnus hören. Damit aber stand der Sohn — bei aller deutlichen Subordination — nicht mehr nur auf seiten der Geschöpfe, sondern zugleich auf seiten Gottes. Erst durch die Menschwerdung, die sich in seinem Tod am Kreuz „vollendet", erhält er Anteil am Menschenschicksal und kann er Versöhner und Fürsprecher für die Menschen werden. Jesus war jetzt nicht mehr allein der von Gott erwählte, vollkommene Gerechte, der Gottes Willen ganz entsprach, das Vorbild, das zur Nachfolge aufforderte, sondern darüber hinaus der göttliche Mittler, der um der Liebe des Vaters zu den verlorenen Menschen willen gehorsam die himmlische Gemeinschaft mit dem Vater aufgab, Menschengestalt und Menschenschicksal annahm, ein Schicksal, das sich im Tod der Schande am Kreuz vollendete. Menschwerdung und Sterben werden so unüberbietbarer Ausdruck der göttlichen Liebe. Von einem solchen „Mythos" wußte weder die griechisch-römische noch die jüdische Überlieferung zu berichten. In dem Sohn kam Gott selbst zu den Menschen und wurde mit ihrer tiefsten Not solidarisch, um darin seine Liebe zu allen Geschöpfen zu offenbaren. Nur als der am Kreuz Zerbrochene war Jesus — paradoxerweise — der Erhöhte, der Herr, dem als Gottes endzeitlichem „Bevollmächtigten" auch jene Mächte unterworfen waren, die scheinbar bei seinem schimpflichen Tod über ihn triumphiert hatten (Phil 2,6—11; 1.Kor 2,8; 2.Kor 8,9). Es ist verständlich, daß derartig kühne christologische Entwürfe nicht zuerst in der

Form spekulativer Prosa, sondern in geistgewirkten
Hymnen vorgetragen wurden (1.Kor 14,26 vgl. Kol 3,16;
Eph 5,19; Apok 5,9 u. ö.); die Gottes „unaussprechlicher
Gnade" (2.Kor 9,15) am ehesten angemessene Sprache
war die des geistgewirkten hymnischen Lobpreises. Die
lehrhafte oder paränetische Zitierung eines solchen Hymnus beweist, daß dieser rasch „die Dignität eines heiligen
Textes" erhalten hatte in ähnlicher Weise wie alttestamentliche Sätze[134].

### 6.4 Kyrios und Gottessohn

Die letzte Folgerung aus dieser zeitlich *sehr rasch fort-
schreitenden* christologischen Entwicklung war, daß man
die Aussagen des Alten Testaments, in denen der unaus-
sprechbare Gottesname des Tetragramms, Jahwe, bzw.
sein „Qere" in der griechischen Bibel, „kyrios", Herr, gebraucht wurde, nun ohne weiteres auf den *„Kyrios Jesus"*
übertrug. Schon Paulus kann das akklamatorische Grundbekenntnis „κύριος ᾿Ιησοῦς" durch die Profetenstelle
Joel 3,5 begründen: „Jeder, der den Namen des Kyrios
anruft, wird gerettet werden" (Rö 10,13 vgl. Apg 2,21).
Im Urtext ist mit dem Kyrios Gott selbst gemeint, für
Paulus ist es Jesus, in dem Gott sein Heil ganz erschließt.
Man hat diesen Sprachgebrauch seit der religionsgeschichtlichen Schule als Anleihe aus den Mysterienkulten mit
ihrer „Kyria Isis" oder dem „Kyrios Sarapis" ableiten
wollen, ein völlig unsinniges Unterfangen[135]. Ganz ab-

---

[134] *R. Deichgräber*, Gotteshymnus und Christushymnus in
der frühen Christenheit, SUNT 5, 1967, 188 f.

[135] Diese alte These von W. Bousset und W. Heitmüller
erfreut sich bis in die jüngste Zeit hinein großer Beliebtheit,

gesehen davon, daß Sarapis erst spät und nur am Rande

---

s. *S. Schulz*, Maranatha und Kyrios Jesus, ZNW 53 (1962) 125—144; *W. Kramer*, Christos, Kyrios, Gottessohn, AThANT 44, 1963, 91 ff. 95 ff.; *P. Vielhauer*, Aufsätze zum NT, ThB 31, 1965, 166 in einer völlig unsachgemäßen, man möchte sagen ‚scholastischen‘ Polemik gegen *F. Hahn*, Christologische Hoheitstitel, FRLANT 83, 1963, 67—125. Während Hahn den historischen Tatbestand weitgehend überzeugend darstellt, ist V. noch ganz an den alten — ungeprüften — Thesen der religionsgeschichtlichen Schule orientiert; ähnlich *K. Wengst*, Christologische Formeln und Lieder des Urchristentums, SNT 7, 1972, 131 ff. Die Behauptung, daß der Kyriostitel in den „hellenistischen Kulten ... vor allem in den Mysterien ... allgemeines Götterprädikat" (134) war, ist schlicht und einfach irreführend. Wo und ab wann werden die Götter von Eleusis und Dionysos, die eigentlichen Mysteriengötter, „allgemein" mit dem Titel „Kyrios" bedacht? Seit wann sind Attis und Mithras als „Mysteriengötter" nachweisbar (s. o. S. 42 ff. A. 54)? Ab wann und wo erscheinen sie in dem für uns entscheidenden Syrien, und zwar mit dem Kyriostitel? Eine Ausnahme macht die „Kyria Isis" ab dem 1. Jh. v. Chr. Möglicherweise liegt bei ihr — und bei Sarapis, wie H. Stegemann in seiner leider noch unveröffentlichten Arbeit über den Kyriostitel vermutet — eine Reaktion gegenüber der Usurpation des Titels Kyrios durch die Juden vor, die — in Ägypten zahl- und einflußreich — das Wort ‚Herr‘ als Qere für das Tetragramm verwendeten. Das absolute „Kyrios" als Göttertitel ist im Grunde ungriechisch. Um so häufiger finden wir die Bezeichnung ‚Herr‘ in vielfältiger Form bei semitischen Gottheiten in Syrien, Palästina und Mesopotamien, die Juden nicht ausgenommen. Nicht selten erscheint darum „Kyrios" als Titel örtlicher Baalim, die zum Zeus umfunktioniert wurden, oder auch bei ägyptischen Göttern der späteren Zeit und bringt das für den Orientalen wesentliche persönliche Verhältnis zur Gottheit zum Ausdruck. Auch Engel konnten

Mysteriengott wurde[136], weiter der Titel „kyrios" für

mit „Kyrios" angeredet und „kyrioi" genannt werden. Denn
‚Herr‘ war nicht nur Göttertitel bzw. -anrede, sondern auch
der Titel für alle Arten von Respektspersonen, u. a. auch
für die herodianischen Könige und nicht zuletzt die Kaiser seit
Claudius. Schließlich fällt es auf, daß selbst in den syrischen
Inschriften vor dem 2. Jh. n. Chr. der griechische Titel
„Kyrios" für Götter recht selten ist. Das Ganze bedürfte einer
gründlichen Untersuchung, die ich in geraumer Zeit vorzulegen
hoffe. Völlig richtig ist die kritische Bemerkung von *K. Berger*,
NTS 17, 1970/71, 413: „Aber es bleibt bei der Behauptung:
Wie es traditionsgeschichtlich möglich gewesen sei, Jesus mit
einer hellenistischen Kultgottheit zu identifizieren, bleibt völlig
rätselhaft. Die These, allein Heidenchristen seien für diese
Übertragung verantwortlich, ist nicht haltbar, da der Titel
früh bezeugt ist und ‚reines‘ Heidenchristentum leere Konstruktion ist." Ich kann darum dem polemischen Satz von
*Vielhauer* (166) nur zustimmen: „Probleme werden nicht dadurch gelöst, daß man sie ignoriert", die Frage ist nur, wer
bisher das entscheidende Problem, das der Quellenaussagen,
ignoriert hat! Zum Ganzen s. auch *M. Hengel* in: Neues
Testament und Geschichte, Festschrift O. Cullmann, 1972,
55 ff. und vor allem *W. Foerster*, Herr ist Jesus, 1924, mit
seinen vorzüglichen Materialiensammlungen, s. besonders S.
79 ff zu den Mysterienkulten: „Wo kyrios nicht schon in den
Volksreligionen, die die Grundlagen für die späteren Mysterien
abgegeben haben, gebräuchlich war, erscheint es auch in diesen
nicht, weder bei Attis noch bei Mithras. Die Isismysterien lassen erkennen, daß auch da, wo kyrios einheimischem Ge-
brauche entsprach, es doch in den Mysterien weniger häufig gebraucht wurde. Es entspricht dort ἄνασσα, regina, und bedeutet
‚Herrscherin‘" (89). Das neuere Material bestätigt weitgehend
die Ergebnisse von Foerster; s. seine Weiterführung in ThW
III, 1038—56.

[136] *A. D. Nock*, Essays, II, 799: „Apart from one possible

Mysteriengötter gerade nicht typisch war und wir zudem
kaum Zeugnisse für Mysterien im Syrien des 1. Jhdts.

exception in a papyrus, there is no other indication of any
mysteries of Sarapis himself." Vgl. das Urteil des besten Sach-
kenners *P. M. Fraser,* Ptolemaic Alexandria, 1972, 1, 265 u.
2, 419 A. 620: Auch der von Nock erwähnte Papyrus (PSI
1162, 3. Jh. n. Chr.) enthält wahrscheinlich keinen Hinweis auf
Mysterien. S. *ders.,* Opuscula Atheniensia 3 (1969), 4 A. 1.
Zudem ist zu beachten, daß der von dem ersten Ptolemäer
neugeschaffene Gott in der frühen Kaiserzeit außerhalb Ägyp-
tens stark an Bedeutung eingebüßt hatte. Erst durch die Thron-
besteigung Vespasians in Alexandrien 69 v. Chr. und dann
durch Hadrian stieg seine Bedeutung wieder, seine große Zeit
erreichte er als Allgott im 3. Jh. n. Chr. Die ganz vereinzel-
ten Hinweise auf Sarapismysterien sind spät und in ihrem
Aussagegehalt umstritten. Vermutlich wurde er nur durch
seine Identifikation mit Osiris und in Verbindung mit den
ebenfalls erst seit dem 1.Jh. n. Chr. nachweisbaren Isismysterien zuweilen auch zum Mysteriengott. S. dazu *L. Vidman,*
Isis und Sarapis bei den Griechen und Römern, RVV 29, 1970,
126 ff. und *ders.,* Sylloge inscriptionum religionis Isiacae et
Sarapiacae, RVV 28, 1969, Nr. 758 = CIL II 2395c aus
Portugal 3. Jh. n. Chr. Unsicher ist Nr. 326 2. Jh. n. Chr.
Prusa und 295 Tralles. Die Mitwirkung des Eumolpiden Ti-
motheos von Eleusis bei der Begründung des Kultes (Tac.
Hist. 4,83 und Plutarch, Is. et Os. 28, 362 A) ist noch kein
Beweis für seinen Mysteriencharakter. Weder die Zahl der
Orte, an denen Isis- (und Osiris-)Mysterien vollzogen werden
konnten, noch die Zahl der Mysten darf überschätzt werden.
Es handelte sich um „exklusive Klubs", „da die Mysterien bei
allen orientalischen Mysterienreligionen der Kaiserzeit sehr
kostspielig waren" (*Vidman,* Isis u. Sarapis 127). „Nur wo
es gut eingerichtete Tempel mit mehreren Priestern gab, die
auch bei diesen mystischen Spielen agierten, konnte eine feierliche Weihe stattfinden", so wie es Apuleius etwa für Kenchräa

n. Chr. besitzen (s. o. S. 45 ff.), läßt sich für die Entwicklung von der einfachen respektvollen Anrede „rabbi"

und Rom beschreibt (op. cit. 131). Auch ist es wohl kein Zufall, daß sowohl die Sarapis-Inschriften wie die archäologi-
schen Zeugnisse für Syrien, Phönizien und Palästina relativ
selten sind. S. *Vidman,* Sylloge 180 ff. und *G. J. F. Kater-
Sibbes,* Preliminary Catalogue of Sarapis Monuments, Leiden
1973, 76 ff. Ähnliches gilt für den Isiskult, s. *F. Dunand,* Le
culte d'Isis dans le bassin oriental . . ., Leiden, 1973, 3, 122 ff.:
Eine Verbreitung des Isis- (und Sarapis)kultes in Syrien ist mit
ganz wenigen Ausnahmen erst in der Kaiserzeit nachzuweisen.
„En Palestine, que ce soit sur le littoral ou à l'intérieur du pays,
les traces du culte isiaque sont très rares" (132). Anders ist die
Situation in Rom und Italien s. *M. Malaise,* Les conditions de
pénétration et de diffusion des cultes égyptiens en Italie,
1972. Aber auch hier beginnt die intensive Ausbreitung erst
mit den Flaviern: 407 ff. Die wenigen Isis-Inschriften aus
Syrien und Palästina, s. *L. Vidman,* Sylloge inscriptionum
religionis Isiacae et Sarapiacae, 1969, 181—186, enthalten
keinerlei Hinweise auf Mysterien; kyrios/kyria erscheint dabei
nur in einer Artemisinschrift, 3- bzw. 4mal für den Kaiser und
2mal für die Stadtgöttin von Gerasa (κυρία πατρίς), d. h. gerade nicht für Mysteriengötter. Daß Sarapis den Titel Kyrios
zuweilen anzog, hängt damit zusammen, daß er als Heil-,
Traum- und Orakelgott ähnlich wie Asklepios ein persönliches Verhältnis zu seinen Gläubigen hatte. Das war in
der christlichen Gemeinde gegenüber dem Kyrios ebenfalls
von Anfang an gegeben. Dies bedeutet aber, daß das personale
Verhältnis zum Erhöhten nicht erst bei paganen Fremdkulten
bezogen werden mußte. Daß dann später in typisch hellenistischen Missionsgemeinden mit fast rein heidenchristlichem Gepräge Neubekehrte in dem „Herrn Jesus" eine Art neuer
Kultgottheit sehen *konnten,* steht auf einem anderen Blatt.
Das war z. B. in Korinth möglich und führte dann bei gewissen Gruppen zu entsprechenden Mißverständnissen, gilt

oder „mari" gegenüber Jesus bis zum voll entfalteten Kyrios eine genauso stringente innere Folgerichtigkeit nachweisen wie beim Gottessohn[137]. Eine ganz entscheidende Rolle kam hier Ps 110,1 zu, der wichtigsten alttestamentlichen Belegstelle für die Entwicklung der Christologie überhaupt[138]. Auch Philo kann in somn. 1,157 sagen, daß Jakob auf der Himmelsleiter im Traum den „kyrios" gesehen habe (Gen 28,13), und meint damit den „Erzengel", d. h. den Logos, in dessen Gestalt sich Gott offenbart. Er unterscheidet dabei zwischen der eigent-

---

aber sicher noch nicht für die „vor-" und „frühpaulinische Mission". Theologischer Einfluß ging in der Frühzeit von diesen Gruppen kaum aus. Dazu war das judenchristliche bzw. aus den Gottesfürchtigen kommende Element einfach viel zu stark. Zum Problem s. schon *J. Weiß,* Das Urchristentum, 1917 26 ff. 117 f. 128 f. 186 f.

[137] *F. Hahn,* op. cit., 74 ff.; *M. Hengel,* Nachfolge und Charisma, 46 ff., vgl. o. S. 75 A. 92: Auch Metatrons Name „gleicht dem seines Herrn". Nach Philo verkörpert der Name χύριος eine besondere δύναμις Gottes. Vgl. jetzt *J. A. Fitzmyer* (o. A. 89) 386 ff.

[138] S. schon *H. Windisch* gegen W. Heitmüller und W. Bousset in: Neutestamentliche Studien, Festschrift G. Heinrici zum 70. Geburtstag, 1914, 229 A. 1: „Ps 110 ist übrigens auch die biblische Grundlage für die urchristlich-paulinische Lehre vom himmlischen Kyrios und für deren Entstehung und Ausbildung stark in Anschlag zu bringen." Windisch vermutet, daß Ps 110,3 Paulus angeregt habe, den Messiasgedanken mit der Weisheit in Prov 8,22 zu verschmelzen. Vermutlich wurde dieser Schritt schon in der „vor-" oder besser „nebenpaulinischen" griechischsprechenden judenchristlichen Gemeinde vollzogen. Wenn das Rabbinat später Ps 110 auf Abraham bezog, so war das eine Verlegenheitslösung.

lichen Rede von ὁ θεός und der uneigentlichen mit dem
bloßen θεός, die „seinen ältesten Logos" als Offenba-
rungsmittler meint (1,228—230).

Ich möchte zum Schluß nur noch auf ein Beispiel verweisen, das zeigt, daß sogar in Palästina selbst die Essener
von Qumran alttestamentliche Stellen, die vom Urtext
her eindeutig Gott selbst meinten, in ihrer endzeitlichen
Auslegung auf eine gottnahe Mittler- und Erlösergestalt
übertragen konnten. Es handelt sich um das bekannte
Fragment aus Höhle 11, in dem der Fürst des Lichts und
Widersacher der Finsternis, *Michael-Melchisedek*, als
eschatologischer Sieger gegenüber allen Mächten des Bösen
auftritt und das endzeitliche Jobeljahr der Erlösung nach
Lev 25,8 ff. herbeiführt, das mit der Proklamation der
Befreiung von Jes 61,1 ff. identisch ist (vgl. Lk 4,17 ff.)[139].
Hier fällt zunächst auf, daß diese höchste Engelgestalt in
Qumran offenbar mit dem Priesterkönig Melchisedek von
Salem nach Gen 14,18 ff., d. h. einer ursprünglich mensch-
lichen Gestalt, identifiziert wird. Es ist darum kein Zu-
fall, wenn Melchisedek im Hebräerbrief zum Typos
Christi, des himmlischen Hohepriesters, wird. In diesem
Fragment wird Ps 82,1: „Gott steht in der Gottesver-

---

[139] *A. S. v. d. Woude*, Melchisedek als himmlische Erlösergestalt in den neugefundenen eschatologischen Midraschim aus
Qumran Höhle XI, OTS 14 (1965) 354—373; *M. de Jonge/
A. S. v. d. Woude*, NTS 12 (1965/66) 301—326; *J. A. Fitzmyer*, JBL 86 (1967) 25—41 = Essays on the Semitic Background of the New Testament, 1971, 245—267. Grundlegend
jetzt *J. T. Milik*, Milkî-ṣedeq et Milkî-reša' dans les anciens
écrits juifs et chrétiens, JJSt 23 (1972), 95—144. Vgl. auch
*F. du Toit Laubscher*, JSJ 3 (1972) 46—51.

sammlung, in der Mitte der Götter richtet er", auf das endzeitliche Gericht Michael-Melchisedeks an den gottfeindlichen Engeln gedeutet. Noch erstaunlicher ist, daß das Bekenntnis des Freudenboten Jes 52,7, „der zu Zion spricht: Dein Gott ist König geworden", nicht Gott selbst, sondern wieder seinem Handlungsbevollmächtigten Melchisedek-Michael gilt. Das Königtum Gottes wird mit dem seines Wesirs identisch. Nach der neuesten Rekonstruktion von Milik sagt der Text „und ‚dein Gott', das bedeutet (Melchisedek, welcher) sie (aus) der Hand Belials (erretten wird)"[140]. Gottes Bevollmächtigter Michael-Melchisedek, der Fürst oder Engel des Lichts, ist zugleich der siegreiche eschatologische Gegenspieler des „Fürsten der Finsternis", Belial, der in einem neuen Text ‚malkîräša'" genannt wird und mit dem dreinamigen Lichtfürsten, d. h. doch wohl ‚malkî-ṣädäq'-Michael in einer Vision Amrams, des Vaters von Mose, erscheint[141]. Diese einzigartige Bedeutung Michael-Melchisedeks bei den Chasidim der Makkabäerzeit und später bei den Essenern von Qumran wird bestätigt durch seine Rolle als eschatologischer Heilsmittler in Dan 12,1 f., wo Michael, „der große Fürst", als Beistand Israels auftritt und das Endgeschehen einleitet, weiter in der aus derselben Zeit stam-

---

[140] S. den Text bei *Milik*, op. cit. 98 f. Z. 10 und 23—25.

[141] *J.-T. Milik*, 4 Q Visions de ʿAmram et une citation d'Origène, RB 79 (1972) 77—79. Beide, ‚Malkîräša'" und ‚Malkîṣädäq', „haben die Macht über alle Söhne Adams" fr. 1 Z. 12 (S. 79). Der eine „herrscht über alle Finsternis" und der andere „über alles Licht und über alles (was Gott gehört)" fr. 2 Z. 5 f. Vgl. dazu den bekannten Text 1QS 3, 18 ff.

menden Tiersymbolapokalypse (äth. Hen 90,14.17.20 ff.)
und vor allem durch die Kriegsrolle, wo Gott Michael als
„himmlischen Erlöser" sendet:

„Und er sendet ewige Hilfe dem Lose seiner (Er)lösung durch
die Kraft des Engels des Gewaltigen(?)[142] zum Zweck der Herr-
schaft Michaels im ewigen Licht; um zu erleuchten durch
Freude den Bund Israels . . .; *um unter den Göttlichen* ('elîm =
Engel) *die Herrschaft Michaels zu erhöhen* und die Herrschaft
Israels über alles Fleisch."[143]

---

[142] Das ‚ml'k h'djr' kann auf 3 verschiedene Weisen übersetzt werden: s. den Kommentar von *J. v. d. Ploeg,* Le
rouleau de la Guerre, Leiden 1959, 177. Ich lese mit A. S. v.
d. Woude hä'addîr im Sinne eines Status constructus. Mit
dem „Gewaltigen" wäre dann Gott gemeint. Eine andere
Möglichkeit ist, das h'djr als Hiphil auf das folgende lmśrt
mjk'l zu ziehen: „er verherrlicht die Herrschaft Michaels."
Eine Deutung als Adjektiv mit dem vorausgehenden Nomen
ohne Artikel halte ich für weniger wahrscheinlich, da dies
erst im mischnischen Hebräisch belegt ist.

[143] 1QM 17,6 ff. Zur Rolle Michaels in Qumran s. *Y. Yadin,*
The Scroll of the War of the Sons of Light against the Sons
of Darkness, Oxford 1962, 134 ff.; *O. Betz,* Der Paraklet,
AGSU 2, 1963, 64 ff. 149 ff., der auch die Beziehungen zur
Christologie und besonders zum Parakleten bei Joh aufweist.
Das „hārîm" entspricht dem neutestamentlichen (ὑπερ)υψοῦν
vgl. Phil. 2,9. Zur Deutung der himmlischen Mittler- und
Erlösergestalt Melchisedek-Michael s. *J. T. Milik,* JJSt 23
(1972), 125: „Milkî-ṣedeq est par conséquent quelque chose de
plus qu'un ange créé, ou même le chef des bons esprits, identi-
fiable à Michaël (comme le soulignent à juste titre les éditeurs
hollandais). Il est en réalité une hypostase de Dieu, autrement
dit le Dieu transcendant lorsqu'il agit dans le monde, Dieu lui-
même sous la forme visible où il apparaît aux hommes, et non
pas un ange créé distinct de Dieu (Ex 23,20)." Es ergeben sich

Man könnte weiter auf das altslawische Henochbuch verweisen, wo Melchisedek — scheinbar der Ururenkel Henochs und Neffe Noahs — auf wunderbare Weise gezeugt und geboren, zum Priester eingesetzt und von Michael in den Garten Eden entrückt wird, ein Hinweis dafür, daß zumindest dem griechischsprechenden Judentum die Vorstellung der jungfräulichen Geburt nicht völlig fremd war[144]. Philo deutet dagegen den Priesterkönig von Salem aus Gen 14,18 f. als „den priesterlichen Logos" (leg. all. 3,82). Auch die von den Kirchenvätern bezeugte Deutung Melchisedeks als Engel dürfte auf jüdische Traditionen zurückgehen. Selbst die von Hippolyt und Epiphanius beschriebenen gnostischen Melchisedekianer sind kaum aus der Exegese des Hebräerbriefes herausgewachsen, sondern dürften ebenfalls jüdische Wurzeln haben. Sie behaupteten u. a., daß „Melchisedek größer als Christus sei, Christus vielmehr nur dessen Ebenbild darstelle" (Hipp. phil. 7,36). Daß das Rabbinat später die Gestalt des Melchisedek teilweise abwertete und Ps 110,1 und 4 nicht mehr auf den Messias, sondern auf Abraham deutete, ist eine Folge antichristlicher und anti-

---

hier interessante Beziehungen zu Philo. In de agr. 51 deutet dieser Ex 23,20 auf Gottes ,*rechte Vernunft, den erstgeborenen Sohn*' (τὸν ὀρθὸν αὐτοῦ λόγον καὶ πρωτόγονον υἱόν), der von Gott wie ein „Statthalter des Großkönigs" zur Weltregierung eingesetzt ist; vgl. auch migr. Abr. 174.

[144] *A. Vaillant,* Le livre des secrets d'Hénoch. Texte slave et traduction française, Paris 1951, 69 ff. (c. 22 u. 23). Die Erzählung zeigt keinerlei christliche Züge. Es ist auch unwahrscheinlich, daß die jungfräuliche Geburt von christlicher Seite einer Gestalt des A. T.s zugeschrieben wurde.

gnostischer Polemik. Die typologische Beziehung zwischen dem Gottessohn und dem Priesterkönig im *Hebräerbrief* war so durch die haggadische Exegese der verschiedenen jüdischen Gruppen wohl vorbereitet[145].

[145] Vgl. *G. Wuttke*, Melchisedech der Priesterkönig von Salem, BZNW 5, 1927, 18 ff. 27 ff.; *G. Bardy*, Melchisédech dans la tradition patristique, RB 35 (1926), 496 ff.; 36 (1927), 25 ff.; *J. A. Fitzmyer*, Essays on the Semitic Background of the New Testament, London 1971, 221 ff. 245 ff.; *M. de Jonge* und *A. S. van der Woude*, 11Q Melchizedek and the New Testament, NTS 12 (1965/66), 301 ff.; *O. Michel*, Der Brief an die Hebräer, MeyersK [12]1966, 257 f.

## 7. DER SOHN IM HEBRÄERBRIEF:
## DER GEKREUZIGTE UND ERHÖHTE

Ein nicht unwesentlicher Unterschied zu der Mehrzahl der jüdischen Texte besteht freilich darin, daß die neutestamentliche Christologie den Erhöhten als Sohn von vornherein — nicht zuletzt auf Grund der engen Verbindung mit der präexistenten Weisheit Gottes — *über alle Engelwesen* stellte. Eine wirkliche *Engelchristologie* konnte darum nur am Rande in judenchristlichem Milieu Bedeutung gewinnen. Schon in dem Melchisedek-Text aus Qumran wird im Grunde die jüdische Angelologie transzendiert. Martin Werner hat auf jeden Fall in seinem großen Werk „Die Entstehung des christlichen Dogmas" die Rolle der „Engelchristologie" für das frühe Christentum weit überschätzt[146].

---

[146] Bern/Tübingen [1]1941; [2]1953, 302 ff.; dagegen schon *W. Michaelis,* Zur Engelchristologie im Urchristentum, AThANT 1, 1942. Vgl. auch *J. Barbel,* Christos Angelos, Diss. Bonn 1941; *H.-J. Schoeps,* Theologie und Geschichte des Judenchristentums, 1949, 80 ff.; *R. N. Longenecker,* Early Christological Motifs, NTS 14 (1967/8), 528 ff. Das Vordringen gewisser Motive der Engelchristologie in der „nachapostolischen" Zeit, etwa bei dem Hirten des Hermas, hängt eng mit dem Zerfall der theologischen Reflexion überhaupt zusammen. Vgl. dazu etwa *L. Pernveden,* The Concept of the Church in the Shepherd of Hermas, Stud. Theol. Lund

Der Hebräerbrief argumentiert durchaus im Sinne älterer urchristlicher Tradition, wenn er den präexistenten und erhöhten Sohn grundsätzlich von den Engeln scheidet und diesen in seiner Verbundenheit mit dem Vater weit über sie stellt:

„Er ist der Abglanz seiner Herrlichkeit (vgl. Sap 7,25 f.)
und der Abdruck seines Wesens,
er trägt das All durch sein machtvolles Wort,
er erwirkt Reinigung von den Sünden
und hat sich zur Rechten der Majestät in den Höhen gesetzt.
Er ist um so viel erhabener geworden als die Engel,
als er eine sie überragende Würde ererbt hat.
Denn welchem unter den Engeln hat (Gott) einstmals gesagt:
‚Mein Sohn bist du, heute habe ich dich gezeugt‘,
und wieder: ‚ich werde ihm ein Vater und er wird mir ein
[Sohn sein‘?

---

27, 1966, 58 ff.: The Son of God and Michael. In bestimmten Gegenden, wo es einen vorchristlichen, jüdisch beeinflußten Engelkult gab, etwa in Phrygien, war man — wie auch der Kolosserbrief zeigt — einem „Engelsynkretismus" besonders geöffnet. Vgl. dazu *L. Robert,* Hellenica 10, 434 A. 2 und CRAI 1971, 613 f. Auch der ständige Einfluß jüdischer Apokrypha mit ihrer Engel- und Hypostasenspekulation auf die frühchristliche Volksfrömmigkeit muß in Betracht gezogen werden, s. z. B. *C. Colpe,* JbAC 15 (1972), 8 ff. zu dem Petrus-Apokryphon aus Cod. VI von Nag Hammadi, wo Jesus den Jüngern in der Gestalt eines Heilungsengels, Lithargoël, erscheint. Die „angestammte Engelfolklore" judenchristlicher Kreise konnte „nunmehr als Engelchristologie (weiterleben)" (op. cit. 10 f.). Spuren davon lassen sich bis zu Origenes nachweisen. Die theologische Reflexion beschritt jedoch — im Gegensatz zur bunten Bilderwelt jüdisch-apokalyptischer Angelologie — mit innerer Konsequenz den Weg zur Gottheit Christi in der Offenbarungseinheit von Vater und Sohn.

Wenn er aber wiederum den Erstgeborenen in die Welt ein-
führt, sagt er: ‚Es sollen ihm alle Engel Gottes huldigen!'"[147]

Man wird in diesem Kontext darauf hinweisen müssen,
daß auch das Judentum im Zusammenhang der Erschaffung Adams, der Verleihung des Gesetzes an Israel und
der Himmelsreise und Erhöhung bestimmter Gestalten
der Heilsgeschichte wie Henoch-Metatrons, Moses oder des
Märtyrer-Hohepriesters Jischmael b. Elischa das Motiv
der Eifersucht der Engel kannte, die im Rang unter die
ausgezeichnete menschliche Gestalt gestellt werden. Nach

---

[147] Hebr 1,3—6. Zum Streit um die Christologie des Hebräerbriefes und ihrer soteriologisch-anthropologischen Deutung s. *E. Gräßer,* in: Neues Testament und christliche Existenz, Festschrift für Herbert Braun, 1973, 195—206. Zur
Auslegung der einleitenden Verse des Briefes s. *ders.,* in: EKK
3, 1971, 55—91. Zum Motiv der Überlegenheit über die Engel
vgl. 1.Clem. 36,2, das m. E. die Kenntnis des Hebräerbriefes
bereits voraussetzt. Daß gerade in Rom an der Wende vom
1. zum 2. Jh. die Frage nach dem Verhältnis Christi zu den
Engeln akut war, zeigt der etwas spätere Hirte des Hermas.
Im Gegensatz zu *G. Theißen,* Untersuchungen zum Hebräerbrief, SNT 2, 1969, 120 ff. sollte man weder im Hebräerbrief
noch erst recht bei Philo „gnostische Motive" voraussetzen, es
sei denn, daß man den Begriff „gnostisch" gegenüber dem späteren Gnostizismus klar definiert. Der abundierende Ge- oder
besser Mißbrauch des Begriffs „gnostisch" dient nur der Ver-
wirrung der Geister. S. dagegen die religionsgeschichtlich minu-
tiöse Untersuchung von *O. Hofius,* Katapausis, WUNT 11,
1970, und: Der Vorhang vor dem Throne Gottes, WUNT 14,
1972, der den vielschichtigen jüdischen Hintergrund des Briefes
klar herausgearbeitet hat. Vor 70 n. Chr. gab es noch keine
Trennung zwischen einem „orthodoxen" und „häretischen"
Judentum.

späterer rabbinischer Lehre war der Gerechte „größer als die Engel, denn die Engel vermögen nicht die Stimme Gottes ohne Schrecken zu vernehmen wie die Gerechten. Der Engel Gabriel folgte Daniel und seinen Gefährten wie ein Schüler, der hinter seinem Meister einhergeht"[148]. Die urchristliche Erhöhungschristologie ließ freilich all diese Zwischenstufen in einer kühnen christologischen Denkbewegung weit hinter sich zurück. *E. Lohmeyer* hat durchaus recht, wenn er bei der Deutung von Hebr 1,1 ff. betont, daß hier im Grunde der christologische Entwurf von Phil 2,6—11 weiter präzisiert wird: Hier ist „der Gedanke der Gottgleichheit (genauer) bestimmt; er ist aus der Unbestimmtheit, die das Wort von dem ‚Sein in göttlicher Gestalt' noch atmete, befreit zu der metaphysischen Bestimmtheit des ‚Sohnes'." Seine Überlegenheit über die Engel (1,4) entspricht der Unterwerfung der ‚Himmlischen' im Namen Jesu (Phil 2,10 f.). Der ‚Erbe des Alls' (Hebr 1,2 vgl. 4b) aber ist der erhöhte Kyrios. „So steht denn die göttliche Art des ‚Sohnes' dem Hebräerbrief gleichsam von Anfang an fest. Es ist die gleiche Anschauung wie in dem Hymnus, den Paulus zitiert; sie ist nur nach der Seite der metaphysischen Substantialität Christi präzisiert."[149] Entscheidend ist dabei, daß in strenger Paradoxie die — für den antiken Menschen, Jude wie Grieche (1.Kor 1,18 ff.), so überaus anstößige —

---

[148] *R. Mach*, Der Zaddik in Talmud und Midrasch, Leiden 1957, 110; vgl. auch die Habilitationsschrift von *P. Schäfer*, Rivalität zwischen Engeln und Menschen. Untersuchungen zur rabbinischen Engelvorstellung, Studia Judaica 8, 1975.

[149] *E. Lohmeyer*, Kyrios Jesus. Eine Untersuchung zu Phil 2,5—11, Nachdr. Darmstadt 1961, 77 f.

Erniedrigung bis zum schändlichen Tod am Fluchholz in ungebrochener, ja unbarmherziger Weise festgehalten wurde. Das stellvertretende Sühneleiden des Sohnes ist in vielfältiger Variation das Grundthema des Hebräerbriefes. Weder seine Anfechtung (2,18) noch seine Gebetsschreie und Tränen (5,7) werden unterschlagen. „Er erduldete die Marter der Kreuzigung und verachtete die Schande" (12,2). Nicht zufällig spricht Cicero in seiner zweiten Rede gegen Verres (5,165) von der Kreuzigung als ‚crudelissimum taeterrimumque supplicium'[150]. „Darum litt auch Jesus, damit er durch sein eigenes Blut das Volk heilige, außerhalb des Lagers. Laßt uns deshalb zu ihm aus dem Lager hinausziehen und *seine Schande* tragen" (13,12 f.). Fast möchte man den ganzen Hebräerbrief als eine großartige Entfaltung des schon im Philipperhymnus angelegten christologischen Themas betrachten. Es ist eigenartig, daß gerade dort, wo die Gottessohnschaft und Präexistenz des erhöhten Sohnes besonders hervorgehoben werden, zugleich auch die Schmach seiner Passion im Mittelpunkt steht. Dies gilt für Paulus, den Verfasser des Hebräerbriefes und — in abgewandelter Form — für den zweiten (Mk 15,39) und vierten Evangelisten (Joh 19,5). Die ‚Doxa' des Gottessohnes läßt sich von der Schande seines Kreuzes nicht trennen. Der vierte Evangelist gibt diesem Gedanken seine klassische Form: Der Gekreuzigte *ist* der Erhöhte (3,14; 8,28). Umgekehrt ist es wohl kein Zufall, daß der Hellenist Lukas sowohl der Christologie vom präexistenten Sohn Gottes wie auch der Heilsbedeutung des Kreuzes distanziert gegenüber-

---

[150] Dazu *M. Hengel* (o. A. 33a) 129 f. 149 ff.

stand. Der spannungsvolle Kampf um die Christologie in
der Alten Kirche konnte sich von dieser paradoxen Dialektik nie völlig lösen. Noch im 6. Jh. n. Chr. kämpften
die skythischen Mönche in Konstantinopel um die Aner-
kennung der umstrittenen „theopaschitischen" Formel:
unus ex trinitate passus est carne. Für die am parme-
nideischen Seinsdenken orientierte traditionelle griechische Gottesvorstellung war und blieb der Gedanke vom
Leiden des präexistenten Gottessohnes ein nicht nach-
vollziehbares Skandalon. Die „theologisch fortschritt-
lichen" Intellektuellen des 2. Jhdts. n. Chr. flüchteten sich
daher gegenüber dieser unerträglichen Paradoxie des
christologischen Bekenntnisses in den gnostischen Doketismus[151]. Hier liegt ein Hauptgrund für die Erfolge des
gnostisierenden Denkens in der Kirche des 2. und 3. Jahrhunderts n. Chr.

---

[151] Op. cit. 133 ff. Zum Doketismus im frühen Christentum
s. *P. Weigandt,* Der Doketismus im Urchristentum und in der
theologischen Entwicklung des zweiten Jahrhunderts, Diss.
theol. (masch.) Heidelberg 1961 und *G. Richter,* Nov. Test 13
(1971) 81—126; 14 (1972) 257—276, dessen Hypothese eines
ursprünglich doketischen 4. Evangeliums und eines antidoketi-
schen Redaktors in Joh 1,14—18 jedoch zu phantasievoll ist.
Der Doketismus hat eine griechische Wurzel und deutet auf
einen popularphilosophischen Einfluß hin.

## 8. THEOLOGISCHE FOLGERUNGEN

Wir haben mit diesem „Ausblick" den Rahmen unserer Untersuchung weit überschritten, da wir ja nur versuchen wollten, die christologische Entwicklung der ersten 20 dunklen Jahre etwa zwischen 30 und 50 n. Chr. an Hand des Sohn-Gottes-Titels dadurch besser zu erfassen, daß wir zugleich den religionsgeschichtlichen Hintergrund ausleuchteten. Dabei stießen wir auf eine Vielfalt jüdischer Mittler- und Erlöservorstellungen, von Henoch-Metatron über die Weisheit und den Logos bis hin zu Melchisedek-Michael. Es zeigten sich dabei Analogien wie auch grundsätzliche Unterschiede. Der Aufweis religionsgeschichtlicher Parallelen schärft immer zugleich auch das Bewußtsein für die Distanz und das Neue, das im Urchristentum aufbrach. Das antike Judentum konnte, gerade um die Einzigartigkeit der Offenbarung des *einen* Gottes in einer widerstrebenden Welt wie auch um seine Geschichte mit dem erwählten Volk Israel zur Sprache zu bringen, sich in vielfältiger Form der Mittlervorstellung bedienen. Diese Mittlergestalten wurden dabei von Gott unterschieden und doch aufs engste mit ihm verbunden. Besondere Bedeutung erhielten sie im eschatologischen Endgeschehen. Daß das nachchristliche Judentum diese Aussageformen teilweise zurücknahm, ist verständlich; die polemische Abgrenzung gegenüber den christlichen und

gnostischen „Häretikern" machte ein Umdenken notwendig. Die jüdische Mystik zeigt jedoch, daß man auch später darauf nicht ganz verzichten wollte und konnte. Die
Erforschung der jüdischen Hekhalot- und Merkaba-Lite-
ratur im Blick auf ihre Bedeutung für die frühchristliche
Christologie hat noch ein weites Feld vor sich, da Billerbeck in seinem großartigen Kommentar diese Texte leider zu wenig berücksichtigte, die Odebergsche Auslegung
des Johannesevangeliums ein Torso blieb und die jüdische
Forschung die Bedeutung dieser Texte aus apologetischen
Gründen häufig unterschätzt hat[152].

Dem frühesten Christentum boten sich diese jüdischen
Sprach- und Vorstellungsformen vom end- und urzeit-
lichen Offenbarungs- und Heilsmittler mit einer gewissen
Notwendigkeit an, um Jesu Predigt und Verhalten, seinen
Anspruch, Gottes endzeitlich-messianischer Sendbote zu
sein, seine einzigartige Verbindung mit dem Vater, dessen
heilbringende Nähe er ansagte, seinen schimpflichen Tod
wie seine als Erhöhung gedeutete Auferstehung in kon-
zentrierter Form als *einzigartiges, „eschatologisches"
Heilsgeschehen* zu interpretieren und zu verkündigen.
Der apokalyptische Gesamtrahmen des Urchristentums, in

---

[152] Ein vorzügliches Beispiel für die Fruchtbarmachung dieser Texte im Blick auf das Neue Testament bieten die beiden
Arbeiten von O. *Hofius*, s. o. Anm. 147. Die von *J. Strugnell*,
The Angelic Liturgy at Qumran..., Congress-Volume Oxford
1959, VTSuppl 7, 1960, 318 ff. veröffentlichten beiden
Texte zeigen, daß man die himmlische Merkaba-Spekulation
schon in vorchristlicher Zeit in Qumran voraussetzen darf.
Das große Werk von G. *Scholem* ist leider noch zu wenig für
die Exegese des Neuen Testaments ausgewertet.

dem die Offenbarung der „Heilsmacht" Gottes durch diesen Jesus zur Sprache kam, drängte die Entwicklung des christologischen Denkens von Anfang an unaufhaltsam in diese Richtung. Das Ziel war, Gottes Selbstmitteilung, sein Reden und Handeln in dem Messias Jesus, in schlechterdings unüberbietbarer, letztgültiger — „eschatologischer" — Form zu artikulieren. Die Wurzeln dieser Entwicklung waren zweifach. Einmal der messianische Vollmachtsanspruch Jesu, in dem er die Nähe der Gottesherrschaft, d. h. der rettenden Liebe des Vaters, allen Verlorenen ansagte, und zum anderen die Gewißheit der Jünger, daß Gott seinen gekreuzigten Messias Jesus auferweckt habe. Man konnte nicht bei einer einfachen adoptianischen Christologie oder einem Verständnis Jesu als neuem Gesetzgeber stehen bleiben, weil damit Gottes Handeln in Schöpfung und Urzeit wie auch mit seinem Volk Israel im Alten Bund gegenüber seiner abschließenden, endzeitlichen Offenbarung in Jesus eine mißdeutbare Eigenständigkeit bewahrt hätte. In strenger Konsequenz christologischen Denkens ging es schon den frühen Gemeinden um die *ganze Offenbarung Gottes,* um das *ganze Heil* in seinem Christus Jesus, das gerade nicht *eine* „heilsgeschichtliche Episode" neben anderen bleiben konnte. In Jesus kommt Gott selbst mit der Fülle seiner Liebe zu den Menschen. Durch die scheinbar so anstößige, da nach einer verbreiteten Meinung überaus „mythologische" Form der Sohn-Gottes- und Präexistenzchristologie wurde gerade der Weg zur Überwindung der Gefahren einer synkretistisch-mythischen Spekulation gewiesen. Es ist ja doch kein Zufall, daß die am weitesten entwik-

kelte Christologie des Johannesevangeliums so streng
„entmythologisierende" Denker wie F. Schleiermacher
und R. Bultmann besonders angezogen hat.

In dem Bemühen, die von menschlicher Seite her un-
begründbare Offenbarung der Liebe Gottes in diesem
Jesus so auszusagen, daß sie als Missionsbotschaft, als
„Evangelium" gegenüber „Juden und Griechen" verkündigt werden konnte, schuf die urchristliche Gemeinde erstaunlich rasch eine Christologie, in der dieser Jesus als
der Erfüller der Verheißungen des Alten Bundes, als der
einzige Mittler des Heils, ja als der *eine* Vollzieher von
Gottes Offenbarung von Anfang an erschien. Indem man
ihn als Gottessohn und Herrn *über* alle himmlischen
Mächte erhob und „zur Rechten des Vaters" inthroni-
sierte, wurde der Gefahr der Mythisierung gerade nicht
Tür und Tor geöffnet, sondern diese vielmehr einge-
schränkt. Das zeigt der Weg des späteren Gnostizismus,
wo Christus in einer abundierenden mythischen Spekulation häufig *zu einer von vielen* göttlichen Emanationen
und Zwischenwesen degradiert wurde. Auch das Ärgernis
des Kreuzes wurde durch diese christologische Entwicklung nicht aufgehoben, sondern — im Blick auf den antiken Menschen — eher maßlos verschärft. Gekreuzigte
Gerechte mag es in der Antike mehrfach gegeben haben,
das Paradigma Platons in der Politeia (361 E) war dem
antiken Gebildeten wohlbekannt. Der gekreuzigte Gottessohn bedeutete dagegen für Juden und Griechen eine un-
erhörte Zumutung[153]. Auch der Gefahr des Ditheismus

---

[153] Hegesipp bei Euseb h. e. 2,23,12: ὁ λαὸς πλανᾶται ὀπίσω
Ἰησοῦ τοῦ σταυρωθέντος und die Einwände des Juden Try-

wurde gewehrt, denn der Sohn stand ja in völliger Hand-
lungs- und Liebeseinheit mit dem Vater (Joh 3,35; 8,19.
28.40; 15,15; vgl. 1,18; 10,30; 17,11.21—26), dem er am
Ende alles in völligem Gehorsam übergibt (1.Kor 15,28).
Eben darum konnte er auch nicht zum Symbol der
menschlichen Selbsterlösung werden. Der die modernen
Dogmatiken durchziehende Gegensatz einer „Christologie
von oben" und „von unten" ist eine falsche Alternative,
die dem Weg der neutestamentlichen Christologie wider-
spricht. Sie entfaltet sich in der unauflösbaren Dialektik
zwischen Gottes rettendem Wirken und menschlicher Antwort, wobei das allem menschlichen Tun vorauslaufende

---

phon in Justins Dialog 10,3: „Aber das können wir nicht be-
greifen, ... daß ihr auf einen gekreuzigten Menschen eure
Hoffnungen setzt (vgl. 8,3) und, trotzdem ihr Gottes Gebote
nicht beobachtet, Gutes von ihm erwartet". 90,1: „Beweisen
mußt du uns jedoch, ob er gekreuzigt werden und eines so
schmachvollen und ehrlosen, im Gesetze verfluchten Todes
sterben mußte; denn so etwas können wir uns nicht einmal
denken"; s. auch 137,1 ff. und die altercatio Simonis Judaei
et Theophili Christiani 2,4 ed. Harnack TU 1, 1883, 28 f.
und E. Bratke, CSEL 45, 25 f., dazu *E. Bammel*, VigChr 26
(1972) 259 ff. mit einem Text aus den Toledot Jeschu. Aus
der hellenistischen Welt s. den Spott Lukians über den „gekreuzigten Sophisten" und seine Anbeter, Peregr. 13 u. 11;
weiter die Vorwürfe des Celsus, Orig. c. Cels 2,9 und das
bekannte Spottkruzifix auf dem Palatin. Eine Übersicht der
jüdischen und heidnischen Polemik gegen den gekreuzigten
Jesus gibt *W. Bauer*, Das Leben Jesu im Zeitalter der neutestamentlichen Apokryphen, 1909 (Nachdruck Darmstadt 1967),
476 ff.: „Ein Gott oder Gottessohn am Schandholz sterbend!
Das war genug, um mit der neuen Religion fertig zu sein"
(477). S. auch o. S. 31 A. 33a; 65 ff. A. 83; 96 f. A. 113.

Ja Gottes nicht erst am Ende (Joh 1,14; 3,16), sondern
schon am Anfang dieses Weges steht (Lk 4,18 = Jes 61,1;
Mk 2,17; Mt 11,19; Lk 6,20). Jesus, der Sohn, in ewiger
Gemeinschaft mit dem Vater, wurde von der Gemeinde
*gerade nicht* im Sinne von E. Bloch als ,Menschensohn'
verstanden, der — einem zweiten Prometheus vergleich-
bar — himmelstürmend für sich selbst und damit für die
Menschheit göttliche Würde erkämpft. In dem Sohn, der,
in die Welt gesandt, gehorsam menschliche Existenz „unter dem Gesetz" (Gal 4,4), ja den Sklaventod auf sich
nimmt, sah man *gerade nicht* den religiösen Heros à la
Herakles, der die Selbsterziehung der Menschheit auf
eine neue Stufe emporführte. Uns mögen heute diese
durch die christliche Tradition teils allzu vertrauten, teils
auch für den Außenstehenden allzu fremden „Objektiva-
tionen" wegen ihrer äußerlich „mythologischen" Aussage-
form seltsam oder gar anstößig erscheinen. Wir sollten
uns aber keineswegs dadurch entmutigen lassen, uns um
ein besseres Verstehen derselben zu bemühen. Die scheinbar wissenschaftliche, in Wirklichkeit oft nur primitive
„entmythologisierende" Abqualifikation derartiger Aussagen könnte zuweilen auch ein Zeichen von geistiger
Simplizität und Bequemlichkeit sein. Die Theologie wird
in Wirklichkeit der Sprache des „Mythos" mit ihrer
transzendierenden Metaphorik nie entraten können, und
sie mag sich hier gerade heute durch das Beispiel des
größten griechischen „Theologen", Platon, belehren lassen.
Der „Sohn Gottes" ist zu einer feststehenden, unverlierba-
ren Metapher[154] der christlichen Theologie geworden, und

---

[154] S. dazu *E. Jüngel,* Metaphorische Wahrheit, in: *P. Ri-*

sie sagt sowohl den Ursprung Jesu in Gottes Wesen, d. h. seiner Liebe zu allen Geschöpfen, seine einzigartige Gott-verbundenheit wie seine wahre Menschlichkeit aus.

Wohl wissend, daß die Interpretation der christlichen Glaubensaussagen die spezifische, unabdingbare Aufgabe des systematischen Theologen ist, will ich zum Schluß in sehr vorläufiger Weise einige Anregungen für den Versuch geben, die neutestamentlichen Aussagen vom „Sohne Got-tes" nachzudenken:

Es kommt darin zum Ausdruck,

daß Gottes Liebe gegenüber allen Menschen in dem einen Menschen, Jesus von Nazareth, dem geliebten Sohn, ein für allemal und unüberbietbar Gestalt gewon-nen hat,

daß das Ereignis dieser Liebe, d. h. unser Heil, keine innerweltlich verfügbare menschliche Möglichkeit ist, son-dern die Sendung Jesu durch den ewigen Gott voraus-setzt, wobei dieser Jesus Gottes Wesen und Willen ganz „entspricht",

daß Gottes Reden im Alten Testament, d. h. seine Of-fenbarung in der Schöpfung und in der Geschichte Israels, des erwählten Volkes, zu seinem erwählten Messias Jesus hinführt und sich in ihm, dem „Sohn", vollendet,

daß der Tod Jesu am Kreuz und seine Auferstehung die Annahme der menschlichen Schuld und des Todes-schicksals durch Gott selbst bedeutet, der sich mit dem

---

*coeur/E. Jüngel*, Metapher. Zur Hermeneutik religiöser Sprache, EvTh-Sonderheft 1974, 71—122; zum „Sohn Gottes" besonders S. 71. 73. 111 ff. 118.

Menschen Jesus „identifiziert" und eben darin Schuld und
Tod für uns alle überwindet,

daß der Glaube an Gottes Selbsterschließung in seinem
Sohn die freudige „Freiheit der Kinder Gottes" begründet, eine Freiheit, die an Gottes unbegrenzter „Möglichkeit" partizipiert, in dieser allzu begrenzten Welt und
darüber hinaus in einer Zukunft, die — Gott sei es ge-
dankt — gerade nicht von einer Menschheit abhängt, die
sich selbst als „höchstes Wesen" betrachtet, sondern die
ganz und gar Gottes Liebe gehört.

Lassen wir zum Schluß noch einmal den Apostel sprechen:

„Die vom Geist Gottes bestimmt sind, die sind Gottes
Söhne. Denn ihr habt keinen Geist der Sklaverei emp-
fangen, daß ihr euch wieder fürchten müßtet, sondern den
Geist der Sohnschaft, durch den wir rufen: Abba, lieber
Vater! Eben dieser Geist bezeugt uns selbst, daß wir Got-
tes Kinder sind" (Rö 8,14 f.).